Universale Laterza
725

Proprietà letteraria riservata
Gius. Laterza & Figli Spa, Roma-Bari

IL PUNTO SU D'ANNUNZIO

a cura di Fulvio Senardi

Editori Laterza   1989

Finito di stampare nel marzo 1989
nello stabilimento d'arti grafiche Gius. Laterza & Figli, Bari
CL 20-3393-3
ISBN 88-420-3393-6

INTRODUZIONE

di Fulvio Senardi

Le premesse

«Ancora D'Annunzio?» chiederà qualcuno, e avrà fornito con la sua domanda la più piena e legittima giustificazione di questo libro. L'interesse per D'Annunzio, manifestato in questi ultimi anni dalla cultura italiana, configura infatti un caso pressoché unico per le dimensioni e la costanza del fenomeno; non sono mancate nella nostra epoca, che cerca con frenesia nel passato qualche conforto alle penombre del presente, clamorose ed imprevedibili riscoperte, ma in questo caso almeno si tratta di un episodio che va ben al di là della regola dell'effimero delle mode culturali. Si ristampano i libri di D'Annunzio in collane economiche, arricchiti di dotte introduzioni, si sceneggiano i suoi romanzi, si rappresentano i suoi drammi, mentre con scadenza quasi annuale congressi di specialisti fanno il punto sullo stato della critica.

Una rivincita postuma dell'Imaginifico che per una trentina d'anni almeno era finito nel magazzino degli abiti smessi, o veniva avvicinato con cautela, dagli addetti ai lavori, come un soggetto scomodo e un po' fuori moda.

La «sfortuna» di D'Annunzio comincia assai prima della morte, il 1° marzo 1938: gli anni del fascismo trionfante lo avevano visto imbalsamato nel ruolo ingombrante di precursore del regime e di vate della patria (ora sappiamo, grazie a Diego Valeri, quanto fiele vi fosse nel rapporto apparentemente armonioso tra il duce e il

3

poeta), oggetto delle celebrazioni interessate dei conformisti.

Da parte dei giovani, invece, per ragioni insieme culturali, morali e politiche un diffuso disamore per quel vecchio un po' petulante in grottesca clausura nel santuario del Vittoriale;

> D'Annunzio [...] era finito miseramente in se stesso, ripetutosi, esauritosi spontaneamente, lasciandosi attorno il disgusto, persino della parola, scriveva con una punta d'acredine Vittorini nel '29 (ora Vittorini, 1970, p. 5). Ed anche coloro che non avevano mai nascosto la loro simpatia (o il loro entusiasmo) per l'inarrivabile maestro di stile cominciavano a definire in termini più freddi e prudenziali le proprie posizioni, e basterà ricordare il caso di Comisso, in più occasioni difensore postumo del poeta: riconsiderando, nel 1951, i suoi anni giovanili, retrodatava al '24 i primi segni di stanchezza nei confronti di «certa retorica e [...] certo cattivo» stile che avevo nello stomaco, anche per contagio dannunziano» (Comisso, 1951, p. 151).

Egli almeno era tanto sincero da ammettere con franchezza il grosso debito, quel debito che tutti, improvvisamente, sembravano voler dimenticare: con il risultato che un'intera generazione di lettori finirà per credere alla fresca verginità dei lirici nuovi, come se nell'amore per i limoni delle poetiche più aggiornate non vi fosse proprio traccia di quei «bossi ligustri o acanti» alla cui ombra erano sbocciate.

E i critici di professione? Accademici o militanti che siano, coltivano un interesse un po' sbiadito per il sopravvissuto, un «caso» scomodo da archiviare alla spiccia. Le formule non mancano e provengono per lo più dal magazzino crociano: «In tutta la nostra letteratura», scrive nel 1935 Pietro Pancrazi, «non c'è scrittore della sua levatura che sia altrettanto sprovvisto di idee. Chi farà domani la storia, dovrà pure meravigliare che D'Annunzio con sì poco pensiero, per la sola forza e attrattiva dell'arte e dell'istinto, abbia potuto agitare intorno a sé tant'acqua. Poca sapienza basta a muovere il mondo» (*I segreti di D'Annunzio*, 1935, in Pancrazi, 1937, p. 245).

È un'ambigua e riduttiva lode del mestiere (ma su

quest'«arte» nutrita di «istinto» il critico ritornerà con più partecipazione nel dopoguerra) che ha il segno freddo e l'indifferenza distaccata di una sentenza.

Non ci vuol molto per capire perché gli anni Quaranta e Cinquanta, l'epoca della guerra e della ricostruzione, abbiano visto, se possibile, un interesse ancora più discontinuo e superficiale per l'opera e il personaggio, che pareva per più versi compromesso con una stagione politica e morale che si voleva dimenticare. Così Bontempelli, in una nota degli anni Cinquanta: «D'Annunzio fu l'uomo più retorico e vanitoso del nostro tempo. E Mussolini è stato l'attuazione politica della vanità retorica dannunziana, e ha potuto operare sopra una massa borghese imbevuta di dannunziana cafoneria» (Bontempelli, 1987, p. 84).

Giudizio severo anche se non postula, come altri, un rapporto di causa ed effetto tra retorica dannunziana e fascismo, limitandosi a constatarne la contiguità.

D'altra parte ogni impronta di D'Annunzio era sparita da tempo dalla consuetudine letteraria e dal costume sociale; il suo mondo, quel mondo che aveva espresso il superuomo ed osannato alle sue pose oracolari, era definitivamente tramontato, e con esso l'interesse del grande pubblico per l'uomo e l'opera: «per il lettore di oggi», spiegava Renata Mertens Bertozzi, «dagli scritti dannunziani si sprigiona innanzi tutto un'aria di muffito, di letteratura nel peggior senso del termine; un clima, cioè, completamente estraneo alle nostre preoccupazioni» (Mertens Bertozzi, 1954, p. 3).

Il dannunzianesimo insomma, in tutte le sue forme, era sceso pacificamente nella tomba, portando con sé il fratello rivale, l'anti-dannunzianesimo. E così, spogliato di tutti gli orpelli e le amplificazioni, sottratto agli entusiasmi e agli odi (ma rimaneva incancellabile un pesante sospetto ideologico-morale), liberato dalle mistificazioni delle quali lui stesso aveva avvolto la propria vita, D'Annunzio veniva ricondotto nei limiti più modesti della problematica letteraria; e ci faceva, bisogna proprio dirlo, una grama figura.

Parla, per tutti, Borgese in un bilancio del 1950: «Par-

rebbe [...] di poter già dire che errarono quelli, gli anti-
dannunziani fanatici della prim'ora, secondo cui la cele-
brità di D'Annunzio sarebbe ricordata un giorno come
quella del cavalier Marino o altro orpello secentesco. Pare
anche però di poter dire che, se ci fingiamo l'anfiteatro
dei cosiddetti immortali, la rosa a suo modo mistica dei
beati in poesia, non lo troviamo in primissima fila» (ora in
Borgese, 1983, p. 159).

Ma a spiegare la caduta di interesse da parte della critica nei confronti di D'Annunzio contribuisce anche un
altro fattore, che qui deve essere rapidamente indicato:
alle serrate interrogazioni di quasi settant'anni di attività
interpretativa l'opera dannunziana sembrava aver ormai
schiuso tutti i suoi segreti, rimanendo come un guscio
inerte, incapace non solo di parlare alle coscienze e alla
sensibilità degli uomini del dopoguerra ma anche di sol-
lecitare la loro curiosità intellettuale. Dopo una prima e
accalorata stagione di letture (l'«archeologia» della critica
dannunziana che va pressappoco dagli anni Ottanta al
saggio crociano del 1903) si era infatti presto pervenuti a
risultati che parevano definitivi, come se nulla più si potesse aggiungere per spiegare il valore di quell'arte che
aveva suscitato, nel suo estrinsecarsi, vigile interesse ed
accese polemiche.

Un percorso esegetico che si articola in poche tappe
fondamentali ed elabora soluzioni interpretative che, con
non poca violenza di sintesi, si potrebbero riassumere
nelle formule del D'Annunzio «alcionio» e del D'Annunzio «notturno», tanto fortunate da pesare ancor oggi nel
dibattito critico.

Il merito di aver proposto la prima caratterizzazione
spetta ad un collaboratore della «Critica», Alfredo Gargiulo, che nel 1909 elaborava un ampio saggio su D'Annunzio apparso in volume tre anni più tardi. Lo spunto
d'avvio gli proveniva dalle pagine crociane del 1903 dove
D'Annunzio era descritto come «un dilettante di sensazioni» della famiglia dei decadenti, di temperamento ac-
cesamente sensuale e capace di squisiti momenti di poesia
(cfr. Croce, *Gabriele D'Annunzio*).

La formula crociana, brillantemente rielaborata dal

Borgese (*G. D'Annunzio*, 1909), partigiano della superiorità di *Laus Vitae* e di *Alcyone*, era fatta quindi propria dal Gargiulo in una indagine di minuziosa analiticità. Il momento più alto dell'arte dannunziana, il suo nucleo più sincero, viene riconosciuto nel III libro delle *Laudi* (ma già Borgese aveva celebrato la capacità di D'Annunzio di cantare «la spiritualità del senso» quando guarda «la natura con occhi fervidamente e liberamente sensuali» (Borgese, 1983, p. 90): «I paesaggi di *Alcyone* — spiega Gargiulo — sono puri paesaggi: [...] il sentimento del poeta si esaurisce nella visione e non si effonde durante, o prima o dopo, la visione, per se stesso. Il paesaggio e l'anima che lo investe coincidono perfettamente. Il nostro poeta è qui un assoluto paesista» (Gargiulo, 1912, p. 413).

Se è vero che «l'arte veramente grande [...] muove sempre da un sentimento profondissimo dell'artista» (p. 432), D'Annunzio, che è «temperamento visivo sensuale» non può dare il meglio di sé che nell'«animazione poetica della natura, fino alla creazione del mito» (p. 448). Intorno all'«oasi splendida» di *Alcyone*, la selva oscura della falsità, che vede gli sforzi del poeta per essere diverso da ciò che esige la sua vera natura: una «tragedia intima» che conduce a prove artisticamente scadenti (tutta la restante produzione, qua e là tuttavia percorsa da qualche «spunto sincero»).

Ma ecco la conclusione:

La profonda spiritualità delle visioni paesistiche di *Alcyone* dà luogo ad una poesia così alta e così nuova nel mondo moderno che poco importa il fastidio di doverla spesso liberare da titoli e sottotitoli, intrusioni superumane e pretesti di passioni umane. I paesaggi, potentemente individuali, si liberano del resto da sé [...] Ogni altro elemento umano, per dir così, sparisce; ma diventa umana la natura. Lo spirito scende tutto nella materia; ma la materia diventa tutta spirito (p. 414).

Il libro di Gargiulo rientra in un'ideale antologia soprattutto per questo suo sforzo di dar voce e concreto contenuto esegetico alla simpatia condizionata dei critici della prima ondata idealistica per D'Annunzio, anzi, per quel certo D'Annunzio che vive e si placa nei paesaggi delle *Laudi*, diventando, smessa ogni sovrastruttura concettuale, natura, natura antropomorfizzata e spirituale: una interpretazione che subito guadagna una dimensione valutativa e sul cui stimolo, a partire dagli anni del primo anteguerra, si è letta l'opera di D'Annunzio come un florilegio di frammenti da degustare.

Ma la tesi di un D'Annunzio interamente racchiuso, come artista grande e destinato a durare, nella esigua parentesi alcionia, risultava tutt'altro che pacifica per la generazione del dopoguerra: era apparso il *Notturno* (nel 1921 presso Treves) a rinfocolare polemiche, ad accendere entusiasmi, a smentire coloro che ritenevano il poeta incapace di rinnovamento. La sua ultima opera (e le prove che l'avevano preparata) non poteva non piacere in anni di marcata insofferenza per le pose superomistiche e l'agonismo ferino, ed il nuovo bisogno di intimità e raccoglimento dopo i massacri della guerra, che aveva cancellato insieme ai sogni ed alle certezze il fervore sperimentale del primo Novecento, si riconosceva pienamente nella «sobria virtù» di un'arte che, per grazia di un attimo di sventura, pareva capace di rivelare le «visioni più invisibili e segrete» dell'anima.

Ho citato Emilio Cecchi, *Espoliazione d'ombra* (1939), che riprende con pochi ritocchi le note sul *Notturno* del 1921:

Si tratta — spiega il critico — [...] di una lunga *suite*, come direbbesi in linguaggio musicale, di motivi apparentati da una tonalità misteriosa, che echeggia d'uno nell'altro e sembra non sciogliersi espressamente in alcuno. Ogni tanto, il discorso di queste musiche sommesse e vagabonde è interrotto e sbarrato da un organismo ritmico più pesante e compatto, in una materia verbale più densamente colorata, e non senza proposito trattata con evidenza e imperiosità oratorie [...]. Si pensi a un ordine di colonne che sullo sfondo di un paesaggio mette un senso di solennità e d'attesa teatrale. Solo che qui è il medesimo artista che ha creato le architetture e ha creato il paese; e il paese, larvale, spettrale, un paese d'anima, costituisce l'istesso dramma (Cecchi, 1957, pp. 248-9).

In queste righe, che attingono la loro metafora ispirandosi a certi scorci enigmatici e quasi fuori dal tempo di De Chirico, stanno già tutti gli elementi del «mito notturno»: un'arte che «fa pensare alla musica» (p. 254), orchestrata di ritmi sommessi ma traboccante di luce, «un'*Alcyone* siderea invece che terrena. Un'*Alcyone* astrale, lunare» (p. 253).

Motivi che rimarranno per un ventennio almeno patrimonio comune e materia di fede della critica dannunziana, anche se qui promanano da un orizzonte ben individuato di gusto e cultura, quello della «Ronda», con il suo culto del rigore formale, la sua nozione chiusa e rinunciataria dei doveri del letterato.

Altri avrebbero poi puntualizzato, con più coerenza e rigore di merito, a partire dallo spunto di Cecchi, così sinuosamente empatico. Un Gargiulo, per esempio (su «La Ronda» nel 1922, ora in *Gabriele D'Annunzio*, 1983), che accoglie e tempera l'ipotesi «musicale», dissipa l'equivoco che vorrebbe presente una nuova ispirazione affettuosa ed umanitaria, smaschera le persistenti pose superomistiche. Conquistato però anch'egli dalla «disperata gioventù» di un D'Annunzio che sa ancora stupire e ringiovanisce la sua prosa in uno stile nuovo, «intensamente raccolto ed attento» (p. 17).

Come si vede, magari per contrasto, i temi sono sempre gli stessi, parallele e quasi interscambiabili le interpretazioni: emblematica la conclusione del saggio di Gargiulo che lamenta a mezza voce i moduli impressionistici e il carattere frammentario del libro, ma giustifica «il naturale desiderio di fare antologia dei frammenti di più grande forza». Parole nelle quali si confessa una generazione che, nell'arte e nella critica, sfoga la sua incapacità di comprensione totale in cartigli di prosa rarefatta.

L'inclinazione per il momento «notturno» è ormai l'orizzonte sul quale viene letta e interpretata l'intera parabola artistica di D'Annunzio; anche la fase alcionia (alla quale vanno ancora non pochi consensi), ma retrocessa per lo più al ruolo di tappa intermedia e di preparazione; una specie di premonizione che annuncia il miracolo finale.

«L'origine del D'Annunzio prosatore che noi prediligiamo sarà dunque da ricercare quasi nella saturazione e nell'esaurimento della sua stessa più alta poesia?», si chiede Falqui nel 1941, rivelando nel malizioso stupore dell'espressione una intrinseca e pienamente condivisa gerarchia di merito (su «Argomenti», 1941, ora in Falqui, 1970, p. 56).

Correttezza vorrebbe che si indicassero a contorno dei pochi citati, i nomi di quei molti che contribuiscono a ramificare il discorso, approfondendone i motivi: Serra, un «caso» di lettura originale negli anni del primo anteguerra, e poi Momigliano, Pancrazi, Flora, De Robertis, Solmi, ecc. Ma se non è possibile delucidare le buone ragioni di ciascuno (e qui occorre rinviare alle ottime sintesi di storia della critica di Antonielli, 1956, Luti, 1969 — poi 1973 —, Petronio, 1977, ecc.), non è lecito passare sotto silenzio gli interventi dannunziani di quello che è stato il grande protagonista dell'estetica italiana della prima metà del secolo, Benedetto Croce. E non per semplice ossequio nei confronti di chi ha svolto il ruolo di maestro di vita intellettuale e morale di più generazioni: ciò importerebbe poco se Croce non fosse invece presente, come una grande ombra silenziosa, dietro tutti coloro che hanno affrontato, nel primo quarantennio del Novecento, il problema di D'Annunzio. E si sono dovuti misurare, per questo solo fatto, con le riflessioni che Croce andava sviluppando, accettandone o rifiutandone le conclusioni, ma sempre all'interno del suo stesso metodo, sempre nell'ambito di quella concezione dell'arte e della poesia che egli aveva fatto trionfare con i suoi scritti di estetica e i suoi interventi sulla «Critica».

Sulle lontane origini crociane dell'interpretazione «alcionia» non occorre dilungarsi: essa nasce là dove Croce indica in una barbarie nutrita di immagini, felicemente smemorata nella sua sensuale immediatezza, il nucleo poetico essenziale dell'opera di D'Annunzio.

Ciò che invece si deve energicamente sottolineare è il fatto che, in quello stesso saggio del 1903, Croce dava un esempio di lettura «per frammenti», la più coerentemente vicina alle premesse del suo metodo: se compito del critico era quello di individuare «il carattere dell'ispirazione

[...], il motivo poetico dominante, il particolare affetto che (diviene) poesia» (cito dal saggio su Ariosto del 1918, in Croce, 1920, p. 2), ne deriva, di conseguenza, l'esigenza di operare per selezione, in modo da isolare quella pagina, quei versi nei quali l'universale, la poesia, si realizza e si rivela nelle vesti del particolare.

Un procedimento, destinato a rappresentare il tratto più appariscente della critica idealistica, che i «giovani», in un momento di crisi radicale dell'idea storicistica, conquistati dal demone della forma perfetta e della pagina cesellata, avrebbero fatto entusiasticamente proprio.

Va però aggiunto che questi giovani — Cecchi, De Robertis, Gargiulo — si orientavano in modo tale da espungere o attenuare le non poche remore etiche che con peso crescente negli interventi del 1903, 1907, 1935 avevano impedito (con la sola eccezione forse del saggio del 1903) la partecipazione piena e senza ombre da parte di Croce all'arte di D'Annunzio; considerato, con chiarezza sempre maggiore, come un autore capace sì di poesia, ma al tempo stesso «cattivo maestro» e corruttore, per le istanze pratiche e le distruttive implicazioni etiche delle sue pagine.

Questi veleni non bastavano ad inquinare i riconosciuti nuclei lirici (la poesia per Croce non è cosa di questo mondo) ma contribuivano ad allontanare il critico in una distanza sospettosa, sempre più accentuata negli anni dell'irrazionalismo trionfante e del fascismo.

Dopo aver dato il «la» a tanta critica coeva Croce, insomma, pur senza rinnegare i suoi princìpi, finiva per imboccare una strada destinata a portarlo lontano, a volte molto lontano dai suoi discepoli.

Esito ovvio se si considera che il suo gusto, formatosi sugli autori dell'Ottocento, lo inclinava verso Carducci, del quale ammirava il senso classico della forma, la robusta fibra morale, il vivace impegno polemico: «un uomo sano» avrebbe detto, al confronto dei «tre malati di nervi» (D'Annunzio, Pascoli, Fogazzaro) della generazione seguente (*Di un carattere della più recente letteratura*, in «La Critica», 1907, poi in Croce, 1942, p. 200). Matura così, da parte del critico, una inconfessata diffidenza nei confronti dell'arte che affida la propria vita al fascino di scaglie preziose, ma rimane irrimediabilmente povera di umanità.

Un esempio emblematico dell'originale approfondirsi della lettura di Croce può essere per più ragioni individuato nelle pagine dedicate a D'Annunzio nella *Storia d'Italia dal 1871 al 1915* (1928), che forniscono un ritratto sommario ma denso di sollecitazioni.

Si potrà obiettare che si tratta di un saggio storico e per di più percorso da una trasparente animosità nei confronti del presente, poco rivelatore insomma sul piano estetico, dal quale soltanto è lecito secondo Croce guardare alla poesia.

Ma sono obiezioni agevolmente ribaltabili. Quest'opera storiografica dà in termini espliciti testimonianza di quella maturazione intellettuale che condurrà Croce, nella *Poesia* del 1936, a riconoscere tra l'Ade e l'Olimpo, tra il brutto e l'autentica poesia, un terreno intermedio, la letteratura; che non determina né spiega la presenza del bello, ma può utilmente contribuire alla caratterizzazione dell'opera e del mondo psicologico e morale dell'autore.

Così, sia pure in un'ottica intenzionalmente marginale rispetto al problema della poesia, il «caso D'Annunzio» viene prospettato su uno sfondo etico e nelle sue implicazioni pratiche, con un esempio di metodo del quale terranno conto, anche per la storia letteraria, i cosiddetti «crociani di sinistra» (Russo, Sapegno), impegnati a recuperare, nella teoria come nella pratica interpretativa, il valore complesso, in senso intellettuale, etico e ideologico, dell'esperienza artistica.

Ad una lettura attenta le pagine di Croce colpiscono per la loro risentita «faziosità»:

L'immaginazione e la bramosia della nuova generazione e dei delusi di quella di poco antecedente — spiega Croce riferendosi agli anni a cavallo del secolo — si rivolgevano [...] all'«imperialismo» o «nazionalismo», del quale padre spirituale fu in Italia il D'Annunzio che l'aveva preparato fin da giovane con tutta la sua psicologia, culminante nel sogno della sanguinante e lussuriosa rinascenza borgiana, ma più determinatamente dopo il 1892, letto che ebbe qualcosa del Nietzsche, in romanzi, drammi, e laudi [...] Lo stile che egli si compose e che fu largamente imitato [...] era già uno stile «imperialistico», dalle ampie volute di frasi immaginifiche, che parevano dire grandi cose e sfumavano nel vago, illudendo e deludendo [...] Nel sentimento dannunziano lussurioso e sadico e insieme freddamente dilettantesco, i letterati italiani del nazionalismo infusero elementi intellettuali tratti prima dal nazionalismo francese del Barrès, anche lussurioso e sadico, e poi da quello razionalistico del Maurras e dell'*Action française*, e poi ancora dal sindacalismo e dalla teoria della «violenza» del Sorel (Croce, 1928, ma cito dall'edizione del 1985, pp. 234-5).

Certo, la tesi di D'Annunzio unico o maggior colpevole della nascita e delle fortune del nazionalismo convince poco. Ma ciò che più conta è che si richiami l'attenzione sulla storicità della sua esperienza letteraria, in un ritratto dell'uomo nel suo tempo che, senza voler negare quel molto di meccanico e semplicemente giustapposto che contiene, appare nondimeno nuovo e suggestivo, di fronte alle divagazioni impressionistiche e alle infatuate sillabazioni del *Notturno* di tanti contemporanei.

A scorrere la citazione, con quel suo accenno a un sentimento «lussurioso e insieme freddamente dilettantesco» si ripensa per contrasto alla formula del «dilettante di sensazioni» sulla quale Croce aveva accordato, e con non poca partecipazione, il suo inaugurale saggio dannunziano. Come a dire che ci troviamo di fronte ad una operazione non semplicemente epidermica di riscoperta e revisione, sull'onda di quella stessa tensione etica che nell'ultimo saggio di Croce su D'Annunzio del 1935, a riprova della perentorietà dei nuovi interessi, assai poco concede alla mistica della poesia come «intuizione lirica», disinteressata e autosufficiente.

La nuova critica: due svolte. Una premessa di metodo

Non è stato troppo difficile, nelle pagine precedenti, riassumere un percorso interpretativo che è ormai storia consolidata, sicché i pochi residui di incertezza non la infirmano nelle sue linee essenziali. Ma misurarsi con la contemporaneità, affrontando libri e correnti interpretative degli ultimi quarant'anni, è tutto un altro discorso e impone di svolgere una serie di considerazioni preliminari.

Va detto, in primo luogo, che da un trentennio almeno il mondo della critica sembra vivere una situazione di turbinosa anarchia: si moltiplicano le tecniche e i procedimenti d'approccio alla letteratura e all'arte in genere, si elaborano nuovi modelli interpretativi, si contaminano e si arricchiscono i metodi tradizionali in un interscambio che non conosce limiti o barriere.

Ma questa apparente ricchezza (che a volte si rivela come una disponibilità un po' fatua a sposare sempre e comunque il nuovo) denuncia in realtà una profonda crisi di identità, sia per quanto riguarda i valori fondanti che la funzione: le regole del gioco sono diventate drammaticamente complesse e ci si deve di volta in volta chiarire i presupposti teorici e le finalità dell'attività critica in un contesto sociale e culturale in vertiginosa trasformazione.

Come conseguenza, tracciare un quadro delle interpretazioni dannunziane dei nostri giorni significherà in concreto problematizzare la critica stessa, portando alla luce tutti i segni della sua non sempre confessata storicità.

Ciò non vuol dire, d'altra parte, nostalgia per una cultura fatta ad uso e consumo dei letterati, con la critica letteraria come luogo deputato di ogni dibattito e terreno privilegiato di mediazione culturale, quanto invece il rifiuto di adattarsi ad una funzione esclusivamente tecnica e settoriale negli asettici confini di un laboratorio.

Resta da esaminare un'altra questione: per evidenziare le svolte più feconde e impegnative della critica dannunziana, le sue tappe di decisiva delucidazione sul piano dei metodi e dei contenuti, si dovrà procedere per problemi, per sezioni che riflettano la varietà delle tendenze interpretative, oppure seguirne in prospettiva rigorosamente diacronica lo svolgimento? Nel primo e nel secondo caso si rischia di perdere di vista quei processi di aggiornamento, maturazione, esaurimento, quegli snodi dialettici, scambi, convergenze che solo un approccio di taglio storico può penetrare con piena intelligenza; mentre agevolata risulterà d'altra parte la comprensione del carattère complesso della critica contemporanea, la chiarificazione degli intrecci metodologici che oggi più che mai stanno alla base di ogni operazione interpretativa. Nell'ultimo caso il pericolo è invece quello di smarrire, in una sintesi di storia della critica che comunque per motivi di spazio non potrebbe che risultare sommaria, le ragioni e i temi specifici del discorso su D'Annunzio, a favore delle inevitabili puntualizzazioni filosofico-estetiche e storico-ideologiche.

In realtà i due approcci non possono essere nettamente distinti e devono invece egualmente contribuire, una volta chiarita la loro legittimità, ad una analisi che intende essere, come richiede il suo oggetto, dialettica e multidirezionale.

Per venire al concreto: i due primi capitoli prenderanno in considerazione gli indirizzi che meglio hanno contribuito a rinnovare la critica dannunziana, proponendo campioni di lettura e tentando un bilancio dei risultati in ottica prevalentemente diacronica.

I capitoli seguenti saranno invece dedicati a chiarire alcuni problemi di fondo (il ruolo storico-ideologico di D'Annunzio, la sua importanza per la storia del gusto e del costume, ecc.), e a ridefinire la posizione di D'Annunzio nei confronti di alcuni generi (il romanzo, il teatro), seguendo la critica contemporanea nella riscoperta di quegli aspetti dell'attività letteraria dannunziana che il selettivo amore della critica estetica aveva condannato all'oblio.

La critica marxista: dal testo al contesto

Uscita distrutta dalla guerra e subito avviata, per la logica stessa degli avvenimenti internazionali, a sbocchi di neo-capitalismo, l'Italia, dopo gli anni di torpore e di provincialismo del ventennio nero e gli effimeri entusiasmi resistenziali, vive una esperienza per molti aspetti nuova e moderna, sul piano ideologico, politico e culturale.

Noi oggi sappiamo bene che «la Resistenza non fu l'introduzione al *novus ordo* ma l'anello che rinsalda la catena spezzata» e che la nuova democrazia va vista piuttosto come «un'età di restaurazione» (Bobbio, 1986, pp. 164-5) che di rottura e radicale rifondazione.

Eppure chi voglia raccontare i nostri anni, anche in qualche loro aspetto particolare, non deve dimenticare che la fine della guerra segna, e non solo virtualmente, la fine di un'epoca: è allora che la nostra società, assai presto ricomposta sui vecchi schemi sotto l'ala di un blocco conservatore che è stato per più anni in campo politico e culturale grettamente oppressivo, si risolleva dalle macerie pervasa da una vera ebbrezza di gioventù.

Le metamorfosi che iniziano a trasformarne il volto, se spesso solo superficiali, mettono tuttavia in moto un processo di vastissime proporzioni che incide nelle coscienze e sollecita con mille stimoli diretti e sotterranei le forze intellettuali, morali e politiche di un paese per troppo tempo autarchico. Sull'onda di un dialogo disordinato ma entusiastico con la cultura europea si iniziano ad assimilare molteplici ragioni di rinnovamento culturale, a sollevare nuovi interrogativi sull'uomo, la società, la cultura, la cui funzione, dopo decenni di abdicazione e reticenze, viene messa di nuovo in discussione.

Compaiono sulla scena nuovi maestri, riemergono voci quasi dimenticate, quelle che l'egemonia culturale neoidealistica e cattolica, l'interdizione fascista, le autocensure dei conformisti avevano tenuto oltre lo steccato. E al tempo stesso si rivedono le timide certezze di un'epoca di presenza marginale ed epigrammatica: quel mito della religione delle lettere, per esempio, che la generazione ermetica aveva difensivamente elaborato, aprendo la strada alle divagazioni mistico-irrazionalistiche dei suoi fiancheggiatori.

Prevale ormai l'esigenza di uscire dall'isolamento, sperimentando nuove forme di impegno: ciò vuol dire, per gli intellettuali, interrogarsi sul loro ruolo, sul loro rapporto con i nuovi e i vecchi centri di aggregazione (editoria, riviste, mondo dell'informazione e dell'istruzione), sui loro doveri di responsabilità nei confronti della nazione, delle forze sociali, dei partiti.

La disponibilità degli uomini di cultura a farsi interpreti del moto di trasformazione che ha come vere protagoniste le grandi masse popolari, e lascia intravedere inedite possibilità di collaborazione, fa però nascere in qualcuno amari presentimenti: «Ci sfugge il senso, la direzione del mutamento», scriveva Montale nel 1949 sul «Corriere della Sera» (*Mutazioni*, 12 agosto) e in altri suscita sdegnate reazioni: «Il primo ostacolo che uno scrittore incontra sulla sua strada», dichiarava Bo nel 1949, è l'ostacolo della politica»; perché, aggiungeva, «una letteratura che serve un'idea (politica o religiosa) potrà pretendere soltanto di raggiungere dei risultati pratici e particolari, dei risultati di esperimento, di operazione laterale» (*I pericoli della letteratura*, 1949, in Bo, 1953, pp. 11, 15).

Ma il discorso sarebbe ancora incompleto se non si ricordasse il fatto che, sullo sfondo, un grande punto di riferimento rimane, per tanti uomini di cultura, Benedetto Croce, anche se non pochi cominciano a capire, sullo stimolo della lettura di Gramsci, il valore ideologico e strumentale del suo pensiero; se ciò non basta ad appannare il prestigio del maestro, del quale anche in campo avverso (si rileggano certe pagine di Alicata!) si riconosceva la statura intellettuale e morale, spinge tuttavia molti giovani a maturare nuove scelte filosofiche, politiche, letterarie, per reazione ad uno storicismo che si veniva scoprendo troppo lontano dal mondo degli uomini, troppo incline a giustificazioni e rinunce.

È il momento del vivace protagonismo della cultura di sinistra: l'Italia presto «atlantica» è pure il paese che esprime partiti di ispirazione marxista tra i più forti e meglio organizzati delle società capitalistiche. E la letteratura, profondamente influenzata dal clima di rinnovamento e impegno, cercò di non rimanere indietro, di fare la sua parte:

Contrappose polemicamente nuovi contenuti (partigiani,

operai, scioperi, bombardamenti, fucilazioni, occupazioni di terre, baraccati, sciuscià, *segnorine*) all'arte della pura forma e della morbida memoria [...]; cercò un mutamento radicale delle forme espressive che sottolineassero la rottura con l'arte precedente e potesse esprimere più adeguatamente i nuovi sentimenti; si pose il problema di una tradizione di arte autenticamente realistica e rivoluzionaria a cui riferirsi, scavalcando le esperienze decadenti dell'arte moderna». (C. Salinari, *La questione del realismo*, 1958, in Salinari, 1967, p. 40).

Sono le parole con le quali Salinari faceva il bilancio, alla fine degli anni Cinquanta, della stagione che fu detta del neorealismo, conclusasi per ragioni insieme politiche, ideologiche e culturali sull'onda della crisi provocata a sinistra dalla morte di Stalin, dal XX Congresso, dai fatti d'Ungheria, ecc.

Una critica di «sinistra» che non fosse quella militante, impegnata sull'attualità e spesso di corto respiro, comincia a delinearsi proprio negli anni del tramonto del neorealismo; anzi, quel dibattito che chiude idealmente la stagione, contrapponendo sul tema del *Metello* pratoliniano marxisti «ufficiali» e marxisti «critici» (così si diceva allora), ne lascia per la prima volta intravedere l'originale fisionomia.

In questo caso la critica letteraria di impronta marxista, come la nottola di hegeliana memoria, prende il volo al crepuscolo, ereditando del neorealismo le ragioni di fondo, i presupposti etico-politici: un ritardo, sotto tutti i risvolti, inevitabile, che va spiegato fuori di metafora di termini di disinteresse e immaturità.

Come meravigliarsi che nel calore della battaglia per il realismo, quando l'impegno della cultura era volto ad interpretare il presente per trasformarlo, non vi fosse disponibilità per sintesi critiche d'ampio respiro, e che all'arte del passato, specialmente del passato prossimo, si guardasse con spirito intransigente e censorio, sordi a tutte le ragioni tranne a quelle dell'oggi? Nell'entusiasmo di un momento che nasce segnato da diffuse aspirazioni ad una riforma integrale della cultura e della società, poca attenzione e poca simpatia andava ai protagonisti di quell'arte «della pura forma e della morbida memoria» il cui cattivo esempio l'offensiva realista avrebbe voluto cancellare.

D'altra parte, prima che la critica d'ispirazione marxista potesse dare risultati interpretativi di rilievo, doveva maturare nuove competenze, assimilare nuovi modelli, far proprio un bagaglio filosofico-estetico che filtrava in Italia, su un terreno ancora intriso di crocianesimo, con una osmosi continua, ma lenta e cautelosa.

Nel 1954, poco prima che si scateni la polemica su *Metello*, vede la luce il saggio di Renata Mertens Bertozzi, *L'anti-realismo di Gabriele D'Annunzio*, cui va il merito di aver riaperto un dibattito che si era ormai ridotto, nelle pagine degli epigoni del neo-idealismo, alla stanca variazione di formule consunte.

Il proposito che informa la ricerca è indicato con chiarezza fin dalle prime pagine: «come spiegare — si chiede l'autrice — che un'immaginazione tanto superficiale e povera di contenuto attinga d'un tratto profondità inaspettate?» Che la retorica dannunziana, per chiamare le cose con il loro nome, riesca a sprazzi a nobilitarsi in «lirismo» e che per la prima volta in modo tanto continuo nel *Notturno* «esprimere diventi per D'Annunzio meno un gioco che una necessità»? (Mertens Bertozzi, pp. 8, 9).

La risposta a queste domande, formulate senza alcun timore reverenziale a partire dall'opera che tutta un'epoca aveva incensato, suona fortemente riduttiva del valore dell'arte dannunziana (niente di più che una testimonianza superficiale e conformista della crisi della coscienza europea, si anticipava nell'*Introduzione*): «L'individualismo sfrenato che sprona [D'Annunzio] a rendersi padrone del mondo [...], lo porta ad evadere dalla realtà per creare artisticamente un universo mitico nel quale si riserva la parte dell'eroe» (ivi, pp. 78-9). La finzione artistica si oppone così senza possibile conciliazione al mondo reale, ne nasconde i problemi e ne banalizza la complessità, offrendoci un'immagine della realtà di coerenza solo illusoria, perché meramente formale. Incapace di rappresentare in termini correlativi e concreti l'uomo e la storia, la pagina di D'Annunzio si regge su un puro e semplice gioco di artifici: «è lo stile, solo lo stile, che costituisce il mondo immaginario e gli dà il suo valore» (ivi, p. 81).

Compito della critica deve essere di conseguenza quello di evidenziare e denunciare «i mezzi e i procedimenti formali assai ricchi e raffinati di quel grande illusionista che fu D'Annunzio» (ivi, p. 62), compilando un catalogo dell'inautenticità dove vanno a collocarsi gran parte degli artifici di stile del *Notturno*: la presentazione dell'usuale come eccezionale e inaudito, l'abuso della ripetizione, che conferisce alla singola parola, alla singola immagine, una «specie di "profondità" simbolica» (ivi, p. 65), la «suggestione dell'occulto» (p. 68) che avvolge il mondo d'un alone di indecifrabilità, lo stravolgimento mitico di personaggi e concreti rapporti umani (la madre come simbolo della nostalgia dell'infanzia, ecc.).

Sono spunti in gran parte riconducibili al campo di interessi della stilistica, che proprio negli anni del dopoguerra verificava, in un teso confronto con le posizioni dell'idealismo, le sue ragioni di legittimità. Ma le osservazioni di Adelia Noferi (1946) sull'affinamento di mestiere dell'ultimo D'Annunzio, o di Giacomo Devoto (1950) su certi esiti di stilizzazione della sua scrittura, ritornano nel libro della Mertens Bertozzi con un accento del tutto nuovo perché la lettura del *Notturno* è condotta questa volta a partire dalle posizioni del realismo. Non ci si limita, in altre parole, alla descrizione degli istituti stilistici né si indulge a momenti d'adorante abbandono, come ancora la Noferi, formatasi alla scuola di De Robertis: l'arte è chiamata invece a nuove responsabilità, ad aiutarci a comprendere «il mondo come oggetto della prassi umana: imperfetto ma perfezionabile, irrigidito, ostile all'individuo, ma mutabile anche e soprattutto nel senso di una maggiore sottomissione all'uomo» (ivi, p. 80).

Istanza etica che vale anche come criterio di valore e rivela, perfettamente riconoscibile, l'influenza di Lukács, le cui opere principali erano state tradotte e diffuse in Italia a partire dal 1949. Ma, come ha riconosciuto Fortini (*Lukács in Italia*, 1959, ora in Fortini, 1965, p. 194) «mancava a molti, alla maggior parte di noi, lo sfondo culturale-storico per situarne l'autore», con il risultato che i *Saggi sul realismo* (1950), *Il marxismo e la critica* (1953), *La letteratura sovietica* (1955), ecc. sono stati letti in modo schematico, con forti concessioni allo spirito precettistico e zdanovista della sinistra ufficiale. Così, nella intransigenza appassionata di quegli anni di polemiche generose e taglienti, Lukács venne chiamato a garante di un'arte di schieramento, di esplicita funzione propositiva in senso etico-politico.

Si ricorda tutto ciò non certo per sottolineare i limiti e le intemperanze della cultura di sinistra dei primi anni Cinquanta: modo astorico di affrontare il problema perché tutto giocato sul senno di poi. Lo scopo era invece quello di spiegare il rigore puritano o, diciamolo pure, quel certo settarismo con il quale nel saggio della Mertens Bertozzi si guarda a tutta la letteratura della crisi borghese, da Baudelaire a Sartre (secondo quanto pareva autorizzare la condanna lukácsiana dell'«antirealismo della decadenza»). L'interdetto che colpisce l'esistenzialismo, la più recente formula filosofica dell'«individualismo intransigente» e del «pessimismo integrale» (ivi, pp. 56-7) è un po' il simbolo di questa maniera draconiana di fare i conti con la cultura contemporanea; non stupisce a questo punto la scelta, in qualche modo «sleale», di leggere l'opera più novecentesca di D'Annunzio sulla base di parametri interpretativi tarati sui grandi realisti della narrativa dell'Ottocento: il giudizio, sostanzialmente stroncatorio, appare così, più che ricavato, predisposto, e la comprensione dell'arte di D'Annunzio solo settorialmente agevolata.

Di poco successivo il saggio di Giuseppe Petronio (1956), che per più aspetti condivide l'impostazione ideologica del libro della Mertens Bertozzi, ma al quale non restano estranei, più di quanto non succeda con l'*Antirealismo*, gli umori di una formazione crociana. Si può dire anzi che il motivo dell'«autenticità» come condizione di poesia, e la convinzione della sostanziale persistenza di carattere dell'arte dannunziana, quasi senza storia per difetto d'umanità («D'Annunzio non ha avuto quel che si dice evoluzione e progresso, ma un mutare apparente ed un persistere reale», aveva sentenziato Croce nel 1903; ora in Croce, 1942, p. 24), costituiscano i poli fondamentali dell'interpretazione; individuato in «una sensibilità [...] tutta sensuale» (Petronio, 1974, p. 1314) il carattere saliente dell'uomo e dell'opera, Petronio fa sua la formula del D'Annunzio «alcionio» e rileva tracce di poesia «nei momenti in cui D'Annunzio sa essere veramente se stesso e cantare quei motivi di sensualità [...] che sono suoi» (ivi, p. 1324). In altre parole la musa gli sorride solo quando «riesca [...] a spogliarsi della sua umanità [...] e libero e spoglio, desti e alacri i sensi, si tuffi nella immensa natura e tutto in essa si immerga, fino a farsi lui stesso natura» (ivi, p. 1314).

Fin qui niente di nuovo: il vero aspetto innovativo sta invece nello sforzo di reintegrare D'Annunzio in un tessuto storico concreto, sul cui sfondo la sua opera si fa più limpidamente decifrabile e acquista una insospettata significatività testimoniale; «vate del nazionalismo italiano nella sua incubazione e nel suo primo fermento» (ivi, p. 1320) e, in quanto tale, per ragioni psicologiche e storiche insieme, forzato a tradire la sua vera natura, a cimentarsi nel «tentativo dei tentativi [...] il mito del superuomo» (ivi), D'Annunzio si rivela, insieme a Fogazzaro, Pascoli e Pirandello, una delle voci più emblematiche del «decadentismo»; di quel periodo, spiegherà Petronio, seguendo piuttosto Praz che Binni, che è la «propaggine estrema [...], estenuazione e consunzione del moto romantico, un romanticismo depauperato dai suoi succhi vitali» (ivi, p. 1325).

La crisi gnoseologica, sociale, morale che caratterizza l'epoca dell'imperialismo, il crepuscolo dell'Ottocento, suscita una poesia individualistica e marcatamente lirica, dal momento che l'arte, «mancati gli altri valori umani, parve il solo o il supremo valore, capace di sostituire quella verità che non si sapeva conoscere, quella morale in cui non si sapeva più credere. Di questa poetica — conclude Petronio — D'Annunzio fu il rappresentante più tipico, legato più di ogni altro ai suoi caratteri e ai suoi difetti, incapace di rielaborarla criticamente, tanto, anzi, che gli stessi tentativi di evasione da sé, furono, in realtà, tentativi di evadere da quanto di più schietto era in lui, per impigliarsi nel vischio di convenzioni letterarie» (ivi, p. 1326).

Non resta molto da dire; il saggio, come si è visto, risulta intimamente contraddittorio dal momento che vuole rispondere a due opposte esigenze, sia sul piano della caratterizzazione descrittiva che del giudizio di valore: quella per così dire crociana di una lettura estetica e quella marxista di un approccio di storicismo integrale. Da un lato la letteratura ne esce virtualmente confermata nella sua separatezza categoriale, dall'altro tendenzialmente dissolta nella storia ideologico-sociale. Ma proprio qui, in questa esigenza tradotta in concreta operazione critica, si deve riconoscere un elemento nuovo e gravido di futuro che consiglia di inserire il saggio di Petronio (con il libro della Mertens Bertozzi e quello di Salinari, al quale sto per arrivare) nel novero delle opere che fondano, e a un livello già molto notevole di maturità di risultati, l'interpretazione materialistica di D'Annunzio.

Siamo insomma al tramonto del critico «"attore" complice, intimisticamente e diaristicamente, delle opere letterarie, che subisce — o "patisce" — la poesia», come lo aveva caratterizzato Gianni Scalia in una vivace pagina polemica (*Metodologia e sociologia della letteratura in Gramsci*, 1959, ora in Scalia, 1968, p. 47), sollecitato ad abbandonare i sentieri della delibazione estetica dalla scoperta dello spessore storico e della significatività ideologico-sociale della letteratura.

I decenni che seguono consegnano una messe assai ricca di interventi di storiografia letteraria, tutti contraddistinti dal tentativo di elaborare un ritratto coerente di D'Annunzio individuando nell'opera i riflessi storico-ideologici, l'impronta dell'uomo, della sua psicologia e dei suoi umori, le tracce dei codici e dei modelli letterari della sua epoca: nella consapevolezza, maturata magari sull'orizzonte di complesse e non sempre omogenee esperienze culturali, che l'arte, anche nei suoi aspetti formali, è pienamente comprensibile solo in relazione ad uno specifico momento storico ed alla luce dell'intera esperienza letteraria e umana dell'autore.

Conclusioni sulle quali concordavano, magari solo per il «problema D'Annunzio», anche critici molto distanti dalle posizioni dello storicismo marxista, come Gianfranco Contini che nel capitolo su D'Annunzio della *Letteratura dell'Italia unita 1861-1968* (Contini, 1968) additava alla critica il compito prioritario di «esplicitare l'unità dannunziana» (p. 325), sottolineando con energia il fatto che, proprio nel caso di questo autore, «i procedimenti selettivi sembrano i meno appropriati» (p. 324).

Sullo spunto delle ricerche pionieristiche degli anni Cinquanta, la nuova sensibilità critica doveva concretizzarsi in una serie di monografie attente alla vicenda globale di D'Annunzio uomo e artista: dal *Tutto D'Annunzio* (1960) di Eurialo De Michelis, che alla storia si avvicina «per amor di poesia», e quasi a malincuore (ciò dimostra quanto si facesse cogente, anche sul piano del metodo, l'esigenza di un approccio non settoriale), al capitolo di Ezio Raimondi nella *Letteratura italiana Garzanti* (1969, poi in volume, 1980), genialmente divagante e in qualche modo fuori schema per la sua reattività a tutte le più attuali metodologie, al saggio di Federico Roncoroni (che introduce le *Poesie* di D'Annunzio, 1978), ai volumi di Emanuella Scarano Lugnani (1976), Anco Marzio Mutterle (1980), Giorgio Bàrberi Squarotti (1982), Anna Maria Andreoli (1984), ecc.

Solo un elenco nudo ed incompleto: ma ogni intervento ha un suo tono inconfondibile, dimostra più o meno sensibilità per gli strumenti espressivi, capacità più o meno ampia di visione storica e di inquadramento, a partire dalla consapevolezza, da tutti condivisa, dell'impegno storicizzante che sottende e giustifica l'operazione critica.

Va da sé che in alcune di queste ricerche, o di altre consimili, il bisogno di concretezza storica si riduce ad un gioco di sfondi, l'istanza di una lettura dialettica svapora in un tatticismo di accomodamenti e compromessi con le tecniche della semiocritica; si ritorna, insomma proprio a quella «vita» dei manuali scolastici che serviva, pagato un frettoloso debito alla storia, per parlare di tutt'altro, di

Poesia, di stile, ecc.: scontati fenomeni di ritardo che nulla tolgono al significato epocale della svolta.

Se ritorniamo agli anni del saggio della Mertens Bertozzi e di Petronio, ci viene incontro l'opera che forse più di tutte ha contribuito ad impostare in termini di storicismo marxista l'interpretazione di D'Annunzio: *Miti e coscienza del decadentismo italiano* (1960) di Carlo Salinari.

Quale sia il punto di partenza dell'indagine lo spiegano senza reticenze le pagine introduttive; polemiche nei confronti di Croce, in primo luogo, al quale si rimprovera un esercizio interpretativo fondato sull'universalizzazione del gusto. Ma non meno severe, sull'altro versante, nei riguardi della «scolastica del rispecchiamento», ovvero della convinzione che il compito di una critica letteraria fedele ai valori del marxismo si esaurisca nell'individuazione dell'appropriato riferimento «strutturale» di ciascun fenomeno della «sovrastruttura». Se l'artista non deve essere scisso dall'uomo storico, vuol dirci il critico, la sua storicità non può essere individuata in modo meccanico, ma con una operazione articolata, dalle complesse sfumature, tesa a valorizzare «gli elementi riflessi di pensiero, di cultura, di tecnica» (Salinari, pp. 12-3) dell'opera d'arte.

Le premesse, come si vede, sono generose e poco conta che nel saggio rimanga qualche granello di «fiducia aprioristica nella ''rappresentatività'' immediata e diretta dei contenuti», per servirci ancora della testimonianza di Scalia (*L'ideologia letteraria del realismo*, 1959, ora in Scalia, 1968, p. 81): comunque si vogliano giudicare i risultati, bisogna ammettere che Salinari apre orizzonti nuovi anche sul piano del metodo, soprattutto per la sua ricettività nei confronti della lezione di Gramsci.

La conoscenza dei *Quaderni del carcere*, pubblicati per monografie dal 1949 al 1953, gli permette infatti di impostare il problema della cifra sociologica di D'Annunzio in feconda dialettica con i temi gramsciani della storia degli intellettuali italiani e delle loro forme organizzative, della letteratura come strumento di egemonia di classe, ecc.

Se Gramsci dava — per così dire — l'avvio alla ricerca

nel suo complesso, qualche merito andava pure al De Sanctis dei saggi su Zola e della *Storia della letteratura italiana*, sul quale aveva richiamato l'attenzione lo stesso Gramsci in una pagina famosa di *Letteratura e vita nazionale*. Della *Storia* desanctisiana doveva piacere a Salinari, così come a molta cultura marxista di quegli anni, il carattere impegnato e militante, quel suo farsi, ma senza spiriti settari, veicolo di un ideale di vivere civile sufficientemente elastico da impedire partigiane riduzioni delle opere ai problemi dell'oggi, ma sufficientemente solido da permettere distinzioni e giudizi: dove il critico si sbilancia perché è nella storia anche lui, e vive speranze, sentimenti, ideali che traspaiono nell'interpretazione, ma senza ridurla a strumento di polemica meschina o di arcadiche degustazioni.

A partire da queste premesse Salinari segue l'attività letteraria di D'Annunzio nel suo dinamico e progressivo svolgimento (ecco un altro concetto nuovo!) e ne individua il momento decisivo nel «passaggio dall'esuberanza sensuale di *Canto novo* e dalla raffinatezza del periodo romano, alla sensualità come affermazione di potenza, con la conquista dello stile immaginifico e soprattutto con l'impegno politico e oratorio» (ivi, p. 93).

Nasce allora il superuomo, chiave di volta dell'intera vicenda di D'Annunzio uomo e artista, come rivelano i suoi più eclatanti manifesti letterari: *Le vergini delle rocce*, sul piano politico e ideale, *Il trionfo della morte* dal punto di vista sessuale, e *Il fuoco*, palcoscenico del superuomo-scrittore, Stelio Effrena. Alle radici di questo mito, vero e proprio «punto d'arrivo della personalità dannunziana» (p. 94) e già compiutamente elaborato negli anni 1895-96 si rilevano pressanti ragioni storiche e psicologiche: «la prima caratteristica del superuomo è l'energia, la forza [...]. Collegata con la forza è l'esuberanza sensuale, il libero disfrenarsi dei diritti della carne e della natura umana, e accanto ad essi si pone, senza contraddizione, il culto della bellezza [...] discriminante degli eletti dalla plebe [...]. Alla base del superuomo c'è quindi una concezione aristocratica del mondo» (p. 30); ma, completa Salinari, questi «miti dannunziani [...] non hanno un'origine soltanto individuale, psicologica o addirittura sessuale, come mostrano di credere alcuni critici: essi ci appaiono il frutto dell'elaborazione e dell'esperienza storica di una generazione (o meglio di alcuni gruppi intellettuali della generazione post-unitaria)», anche se «sarebbe sbagliato ritenere che a comporli non siano intervenuti elementi strettamente connessi alla *natura* del nostro poeta» (p. 65).

Ciò che infatti colpisce è «l'aderenza delle posizioni dannunziane ad atteggiamenti che erano venuti maturando in alcuni gruppi della classe dirigente e degli intellettuali nei decenni successivi all'unità d'Italia» (p. 41); motivi che serpeggiano nel periodo crispiano e giolittiano, profondamente radicati nella società ed insieme vuoti e velleitari (ideologici, nel senso di cattiva coscienza), perché frutto della mania di grandezza di un paese povero e arretrato, noncurante dei propri limiti: il culto della potenza e della gloria, l'idea di Roma e della missione d'Italia, il mito della guerra; e, insieme a questi, i fermenti, le contraddizioni, le velleità, di un periodo di transizione e di incertezza, il decadentismo appunto, scosso da una ventata di irrazionalismo che tende a far piazza pulita «dell'ultima manifestazione progressiva del pensiero borghese dell'Ottocento, il positivismo, e del più avanzato tentativo di arte realistica, il verismo» (ivi, p. 9).

Sorge allora e dilaga il nazionalismo retorico, l'antiparlamentarismo, l'ostilità nei confronti delle masse e del partito socialista: quella «megalomania» dell'Italia ufficiale, per dirla breve, il cui terreno di fermentazione è stato l'arretratezza strutturale, il conservatorismo politico-sociale, il cinismo delle *élites*, la diseducazione delle masse.

«Sarebbe pedanteria — conclude Salinari — seguire il superuomo dannunziano in tutte le sue eccessive incarnazioni» (p. 92): assunta la sua maschera più congeniale, D'Annunzio, plagiario di se stesso, si isterilisce in una sorta di maniera, con poche concessioni a situazioni umane e letterarie più ricche e profonde. Ma, nonostante ciò, esiste per Salinari un esile filo di autenticità, un

«D'Annunzio che [...] rimane [...] tra le rovine di un immenso edificio fondato sulla sabbia» (p. 105). Un sottile lembo di terra fertile, continuamente insidiato dall'aridità umana del superuomo, che si lascia scorgere qua e là in *Alcyone*, ma soprattutto nelle pagine del *Notturno* e del *Libro segreto*: «Gli unici momenti nei quali si possono superare e la sproporzione e la falsità insite nel velleitarismo dannunziano — spiega il critico — sono quelli della frustrazione, del ripiegamento deluso, di una iniziale e opaca coscienza della inanità della tensione superomistica» (p. 100).

In altre parole, il motivo «autentico» di D'Annunzio è la sconfitta, e si concretizza nel tema della tregua, dei ricordi intimi e smarriti della prima giovinezza, nella malinconia commossa dell'uomo deluso: un modesto riconoscimento di valore che è l'alibi sotto il quale si nasconde l'inclinazione per quelle pagine che meglio parlano alla sensibilità e all'intelligenza di Salinari, e dove quindi, accanto alla valutazione d'ordine storico-ideologico, si esprime un moto di personale adesione etica e di gusto.

Alibi, bisogna aggiungere, più lukácsiano che crociano, dal momento che l'amarezza dannunziana, il sapore di sconfitta di qualche sua pagina viene spiegato come prodotto del contrasto di velleitarismo e squallore, esaltazione e ripiegamento: un dramma che appartiene all'uomo, ma prima ancora alla società, e lascia scorgere di questa, dietro il lucore dei miti, i segni della crisi.

· Queste le tesi fondamentali del libro, esposte magari con troppa ricchezza di dettagli. Ma, lo si è ormai capito, *Miti e coscienza* rappresenta per me un capitolo fondamentale per la comprensione di D'Annunzio, della sua vicenda interpretativa, della storia della critica marxista in Italia. Viene anzi la tentazione di parlarne più diffusamente, di sottolineare come, mentre sembra ribadire dei pregiudizi, il saggio di Salinari apra la via a sinistra ad un ripensamento sul Decadentismo (occorre ricordare quanto debbano a questo libro letture successive come *Il decadentismo italiano* di Arcangelo Leone de Castris?), sia in termini di periodizzazione che di valutazione: finalmente, con qualche residua cautela, si inizia a considerare la possibilità che l'arte, senza dischiudere nuove prospettive e delineare nuove soluzioni nell'esplicito dei contenuti, possa dar voce, rimanendo arte, all'angoscia, all'alienazione, alla crisi.

D'altra parte gli interessi prevalentemente storico-ideologici di Salinari, traducendosi in uno sforzo di lettura globale, gli consentono di muoversi «a tutto campo», considerando cioè tutti i momenti e tutte le forme dell'attività letteraria di D'Annunzio; anche quelle, la pubblicistica per esempio, che la critica dannunziana aveva relegato per solida convenzione nel limbo delle pagine da dimenticare, in quanto sollecitate da interessi pratici ed extra-estetici.

Nella ferma convinzione che ogni artista, soprattutto se affascinato come D'Annunzio dal miraggio di una bellezza che si fa vita e sprone all'azione, è al tempo stesso ideologo, organizzatore di cultura, strumento di egemonia, Salinari si sofferma sulle prose dell'*Armata d'Italia*, sugli articoli dannunziani dedicati a Wagner, a Zola, ecc., raccogliendo spunti magari già presenti in certe pagine di Croce, Russo, Noferi, ma mai ancora così persuasivamente organati in una interpretazione di ampio respiro.

Salinari (casi così complessi non si risolvono d'un colpo solo!) lascia poi a posteri e seguaci il compito di chiarire, con più ricca documentazione, il problema dell'infatuazione per Nietzsche (per esempio Tosi, 1973; Piga, 1980), e del rapporto di D'Annunzio con Angelo Conti e gli indirizzi idealistici di fine-secolo (cfr. Raimondi, *Dal simbolo al segno*, 1975, poi 1980); di valutare con più precisi riferimenti la posizione del D'Annunzio «romano» in relazione alle riviste dell'estetismo, «Convito» e «Marzocco» (Scarano, 1970; Sormani, 1975, ecc.); di tracciare la storia dei suoi interventi giornalistici sulle pagine dei quotidiani (cfr. il convegno: *D'Annunzio giornalista*, 1983); di approfondire, sulla base di nuovi apporti storiografici, il problema della posizione di D'Annunzio di fronte al diffondersi dell'ideologia nazionalista, espressione saliente della reazione borghese (Asor Rosa, 1975, ma soprattutto Alatri, 1983); di spiegare le radici culturali e le metamorfosi del superuomo, come proiezione dell'autore e sede di deposito di una stupefacente memoria letteraria (Luti, 1973; Canfora, 1980); di proporre scansioni più articolate della parabola di D'Annunzio, protagonista delle lettere e ambiguo organizzatore di consenso, arricchendo quella prospettiva che in *Miti e coscienza* è ancora sostanzialmente unidirezionale (D'Annunzio = superuomo).

Potrei continuare praticamente all'infinito, tanti sono gli interventi, e tanto vari per senso e direzione: ma, com'è ovvio, ogni elenco è veramente inutile se non serve ad esemplificare una linea di tendenza, un certo ambito di interessi. In questo caso mi premeva mostrare alcuni orientamenti interpretativi per i quali, e non sono i soli, la critica contemporanea è in debito verso Salinari: ne ha ripreso i temi, li ha sottoposti a revisione in una più attenta valorizzazione delle singole fasi esistenziali, ideologiche, stilistiche, ma ha confermato per molti aspetti le intuizioni di fondo di *Miti e coscienza*.

Il saggio di Salinari ha però un grosso limite, come ha notato un critico non certo di parte avversa, Giuseppe Petronio (1977): nello sforzo di dialettizzare il rapporto autore/società, chi ci rimette è proprio l'arte, che non viene sufficientemente valorizzata nel suo specifico carattere formale.

Va detto, come prima spiegazione, che la fede storicista, la volontà di impegno militante e l'enfasi polemica nei confronti di una critica ghiottamente concentrata (e per ragioni essenzialmente formali) sul D'Annunzio «notturno» finiscono per portare Salinari, tempratosi nel dibattito sul realismo e pregiudizialmente ostile alle tentazioni formalistiche dell'arte moderna, oltre il bersaglio, su posizioni di intransigente chiusura.

Certo, il critico è sufficientemente sensibile e obiettivo per riconoscere che una delle anime della stilistica, quella che non attribuisce alla forma un valore mistico e autosufficiente, è «orientata per la sua stessa natura, verso la storia» (Salinari, 1967, p. 24), ma è tuttavia riluttante a farne propri gli strumenti, ad assimilarne l'insegnamento.

Un limite che cercheranno di sanare, e non sempre

con risultati convincenti, le posteriori interpretazioni marxiste; poco disposte, per i presupposti filosofici che le animano, ad affidarsi alla precaria salvezza di letture tecniche ed asettiche per sfuggire al rischio di uno storicismo teleologico.

Se il contributo di Salinari può fungere idealmente da displuvio tra due stagioni, va subito detto che le novità che inaugura stentano a trovare accoglienza: e ciò non vale solo, come è giusto che sia, per le specifiche conclusioni, ma riguarda anche l'istanza di fondo di una lettura globale e storicizzante.

Per rendersene conto basta rileggere gli atti del Convegno internazionale tenutosi nel 1963 in occasione del centenario della nascita di D'Annunzio, che avrebbe avuto l'ambizione di offrire un bilancio esegetico definitivo: quel convegno dà in realtà l'impressione di una battaglia di retroguardia in difesa di posizioni in gran parte ormai insostenibili; di una lettura di D'Annunzio, per parlar chiaro, condotta sul filo della sensibilità e rivolta a quei momenti di «poesia» che il critico, con mistico trasporto, individua e trasceglie a beneficio dei profani.

Anche dove l'approccio estetico matura in un'attenzione meno selettiva e intransigente, l'inconfessata finalità rimane quella dell'antologia esemplare (la definizione è di Mario Marcazzan che presenta una relazione sulla «prosa di D'Annunzio»); e qui sovvengono allora soluzioni vecchie e ammuffite parole d'ordine, si ripresentano le formule che avevano tenuto banco nei decenni precedenti: il D'Annunzio «notturno», perorato dallo stesso Cecchi e quasi con le stesse parole di tanti anni prima, quello «lussurioso», ma capace di arcana musicalità, vecchia scoperta di Flora che Dotti riattualizza nel suo intervento sulla strofa alcionia.

Un recupero che suona spesso dei toni vuoti e fastosi della celebrazione: tanto che a Sapegno, così temerario da affermare (in un quadro di gusto tutto sommato ancora idealistico) che «il posto che compete [a D'Annunzio] è piuttosto tra i minori che non tra i grandi» (*D'Annunzio lirico*, in AA.VV., 1968) perché dietro la sua arte «non c'è mai [...] una visione unitaria della realtà, sì soltanto la prepotente vitalità di un temperamento» (p. 162), molti congressisti ricordano, con malcelata indignazione, che l'arte dannunziana rimane un «prestigioso fenomeno di cultura e poesia» (Orsini, p. 171), che D'Annunzio ha avuto, come indiscutibile pregio, «un senso squisito della forma» (Elwert, p. 172), ecc.

Certo, ai margini di uno schieramento così compatto si individua qualche voce nuova, o qualche nuovo settore di interesse; quello che delimitano, per esempio, le relazioni sulla *Fortuna di Gabriele D'Annunzio fuori d'Italia*, che hanno il merito, muovendo in diverse direzioni e magari solo ancora su un piano preliminare e preparatorio, di impostare il problema della diffusione europea dell'opera di D'Annunzio (e quindi, ma qui solo di riflesso, degli echi europei che D'Annunzio media o amplifica).

Un capitolo importante di storia del gusto (sul quale erano già state scritte, per merito di Binni, Praz, ecc. pagine fondamentali) che verrà approfondito con le opportune correzioni (e l'ausilio di nuovi strumenti di matrice strutturale) dal Convegno del 1973, *D'Annunzio e il simbolismo europeo*, a definitiva conferma dell'ampiezza e insieme dei ritardi e dei limiti di spessore e di rielaborazione della cultura europea (soprattutto francese) di Gabriele D'Annunzio.

Ma ciò che più colpisce nel convegno del 1963 è l'emarginazione della critica stilistica (rappresentata dal solo Schiaffini), per diffidenza forse verso una scuola sobriamente tecnica e perciò scarsamente vocata alle degustazioni di poesia; e, soprattutto, l'assenza totale dei critici marxisti, esclusi per incompatibilità di metodo e, si potrebbe credere, per borghese disdegno nei confronti di studiosi vivamente solleciti ai temi della storia e dell'ideologia e quindi poco disposti a ridurre la critica ad un momento di consenso intimo e appassionato.

La svolta degli anni Settanta

Nel panorama delle tendenze critiche più recenti, una posizione di rilievo spetta di diritto allo strutturalismo che si è affermato con prepotenza a partire dagli anni Sessanta e ha in larga misura influenzato il dibattito critico degli anni seguenti.

Senza la pretesa di bilanci definitivi va detto che si è trattato di un indirizzo volto a legittimare, a monte delle numerose ramificazioni d'origine teorica e operativa, una modalità d'approccio attenta soprattutto agli aspetti formali dell'opera d'arte. Individuato nelle strutture espressive il proprio legittimo campo d'esplorazione, gli strutturalisti cercano di coglierne il valore funzionale e semantico nell'ambito del sistema di cui queste sono parte: l'interesse va all'opera in sé, vista come dall'interno, circoscritta e assolutizzata secondo una logica interpretativa che volutamente trascura, considerandole spurie, le sue determinazioni psicologiche, sociali, ecc. Un'esclusione che rivela, nel tendenziale azzeramento della storia e del contesto, le virtualità anti-storicistiche dell'indirizzo.

Come ha affermato D'Arco Silvio Avalle, in quel dibattito a più voci: *Strutturalismo e critica* (1965, poi 1985) che rappresenta in Italia l'atto di nascita della nuova corrente, «il ricorso a metodologie di tipo strutturalistico avrebbe se non altro una sua pratica utilità, nel senso che oltre a impegnare la critica sul testo al di là delle sue qualificazioni contingenti, la obbligherebbe finalmente a rispondere ad alcune domande molto semplici, ad esempio come è fatta, in che modo funziona e soprattutto dove è la poesia» (1985, p. 28). «Esigenza scarsamente soddisfatta — continua Cesare Segre, curatore del volume — da quei metodi che rinviano immediatamente, e cioè dopo un indugio troppo breve sull'opera, a qualcosa che sta *dietro* l'opera stessa (sia l'autore o l'opera o altro) o che s'affrettano ad inserirla in un divenire a cui essa appartiene proprio per i suoi elementi più generici, non per ciò che la rende, com'è ogni creazione d'arte, singolare e assoluta» (ivi, p. 118).

Dalle sollecitazioni dello strutturalismo hanno ricavato suggerimenti e occasioni di riflessione soprattutto coloro che, seguendo il miraggio di una critica letteraria «scientifica», volevano liquidare le ultime frange dell'idealismo crociano, senza concessioni allo storicismo militante dei marxisti.

Già in precedenza, per la verità, non erano mancati in Italia tentativi di fare della critica letteraria un laboratorio di ricerche formali: si intende naturalmente la stilistica, maturata sull'esempio di Spitzer grazie ad un piccolo ma attivo manipolo di studiosi. Un indirizzo di per sé poco omogeneo e vivacemente dialettico, al quale si affiancava per merito di Contini la critica delle varianti (ma «variantista» *ante litteram* non era stato lo stesso Pancrazi che *Nell'officina dell'Alcyone* — 1939, poi 1944 — aveva misurato sulle pagine degli autografi il respiro della sensibilità artistica e le linee di sviluppo della poesia di D'Annunzio?).

Il terreno, insomma, era già in qualche modo predisposto ed i nuovi interessi potevano facilmente innestarsi su una propensione ormai ampiamente diffusa.

Eppure, nonostante la serietà di qualche singolo ricercatore, nella frenesia di voler essere a tutti i costi alla moda, lo strutturalismo venne assimilato in modo spesso superficiale e confuso, sullo sfondo di un eclettismo culturale minato da improvvisazioni e malintesi. La rivoluzione metodologica che avrebbe voluto suscitare si riduce così per molti aspetti ad un gioco di formule, ad un restauro di facciata, oppure ad uno sperimentare di corto respiro che si sfoga in un repertorio un po' caotico di assaggi circoscritti. Mentre, di fronte ai settatori del nuovo, si individuano non pochi critici fedeli ad un loro metodo di ricerca formale che poco concede al precetto di moda: si pensi, nel campo della critica dannunziana, a Luigi Testaferrata, autore di una pregevole indagine su *D'Annunzio paradisiaco* (1972, a partire da un nucleo del 1956), o a Giorgio Luti che nella *Cenere dei sogni* riutilizza certe intuizioni di Cecchi e De Robertis a proposito della prosa «notturna», che si collocano piuttosto sul versante del gusto che dell'analisi oggettiva e quantificante. Solo due esempi, che però ci ricordano il carattere composito e l'inesauribile complessità della critica contemporanea: un dato di fatto che rende necessario, anche a volerne affrontare un solo settore, operare distinzioni, aprire parentesi.

In campo marxista, tra moti di disinteresse e qualche accenno di scomunica, non pochi segni di intelligente disponibilità nei confronti delle nuove proposte, in anni che hanno visto, esauritasi l'ondata dell'«impegno», la ricerca faticosa di una fresca identità: Armanda Guiducci, in un'esauriente ricognizione delle ultime tendenze della critica letteraria ed estetica, riconosceva «l'influenza utile e necessaria della linguistica sull'estetica al momento attuale», notandone le tracce nell'«utilizzazione indispensabile dei suoi apporti specialistici da parte del teorico e del critico letterario» (Guiducci, 1967, p. 365). E Giuseppe Petronio, riprendendo sinteticamente un intervento di qualche anno prima, valorizzava dello strutturalismo (ma inteso come «una disposizione o tendenza» e non come una filosofia chiusa e dogmatica) il pressante richiamo ai significanti, la capacità di «prestare un'attenzione fino ad oggi sconosciuta alla interdipendenza delle parti che compongono l'opera d'arte, o all'interdipendenza dei fattori che in una determinata età costituiscono il quadro letterario», e di riproporre in «termini nuovi i problemi del rapporto tra l'opera d'arte e autore, tra una singola opera e le altre sincroniche» (Petronio, 1970, pp. 890-1).

Solo pochi nomi, ma sufficienti ad evocare la portata e il carattere di un dibattito che varrebbe la pena di seguire in tutte le sue fasi. Va da sé che proprio un confronto così continuo di posizioni, istituendo un collegamento non episodico tra indirizzi storicistici (per lo meno nel loro versante più elasticamente ricettivo) e metodologie strutturalistiche, ha fatto sì che, prevalendo la logica del compromesso, molto marginale fosse la diffusione dello «strutturalismo magico», secondo la definizione di Raymond Boudon (1970): vale a dire di quelle teorie che rivendicano alla struttura un valore ontologico, come se i modelli strutturali non fossero mere ipotesi di lavoro, rispondenti a bisogni di chiarificazione illustrativa, ma evidenziassero invece l'essenza nascosta dell'oggetto, l'idea platonica che preesiste alla sua materialità.

Delle due istanze, di comprensione globale dei fenomeni della letteratura (che non se ne lascia sfuggire la dimensione storica e quindi sociale) e di valorizzazione delle loro caratteristiche formali, proprio la critica dannunziana ha potuto quindi rappresentare un ideale terreno di convergenza: gli indirizzi strutturali, se non quelli ciecamente innamorati del proprio fare specialistico, non potevano dimenticare per un autore così ingombrante e compromesso (sul piano del giudizio storico-ideologico) l'esigenza di una collocazione non meramente stilistica; mentre, da parte sua, la critica marxista, salvo quella di moralismo miope e bilioso, non poteva fingere di ignorare che D'Annunzio aveva rappresentato, nel quadro della sua epoca, un episodio di prima grandezza riguardo alla sperimentazione di tecniche e linguaggi, alla viabilità di forme e stilemi della letteratura europea, alla nascita insomma della moderna poesia italiana.

Terreno ideale, si è detto, ma non per questo meno insidioso: proprio sul campo dell'esegesi dannunziana i cultori dell'analisi strutturale, per una affinità costituzionale tra arte estetizzante e critica formale rischiano di cacciarsi, con le loro proprie mani, in un labirinto di specchi. Lo dichiara schiettamente Marziano Guglielminetti (*Introduzione all'autologia di D'Annunzio*, 1971, poi Guglielminetti, 1974) sedotto dalle *Faville del maglio* e dall'ultima prosa, nelle cui pagine migliori «per virtù di "forma" ancora una volta la "vita" si arrende all'"arte", ma non per incontrarvi la morte, bensì la trasfigurazione» (p. 83). Protagonista di questo miracolo sarebbe — così Guglielminetti — il D'Annunzio «autologico» che glorifica se stesso e la sua arte in brani di memoria e frammenti di meditazione sul mestiere di scrivere, esprimendo così con il suo virtuosistico operare sui significanti, un'anticipazione «della moderna coscienza dell'arte introdotta dai formalisti» (ivi, p. 62).

Come si può notare, di fronte all'opera dell'autore consentaneo, capace delle più sottili alchimie di stile, questa critica si arresta affascinata alla celebrazione di un equilibrio formale perfettamente realizzato, «della "vita" quale "scrittura" e della profondità interiore quale spessore della scrittura» (ivi, p. 62). Nessuno spiraglio mostra ciò che è dietro, e l'arte, interrogata nelle sue strategie segniche, racconta solo se stessa, diventando per paradosso simbolo di un'assenza, dell'incapacità di capire dell'uomo contemporaneo: vizio capitale dell'approccio strutturalista che, nel mito supinamente accolto di uno sguardo specialistico e scientificamente neutrale, svela la sua stretta omologia con l'epoca del feticcio tecnologico e dell'umanità etero-diretta, in balìa di dinamiche socio-economiche credute oggettive ed immodificabili per l'incapacità di cogliere la loro vera natura di fenomeni storicamente condizionati.

Le parole di Guglielminetti permettono inoltre di capire perché la critica strutturalistica si sia esercitata soprattutto su *Alcyone*: attrezzata ad evidenziare la coerenza sistemica dei propri oggetti, si trova specialmente a suo agio di fronte ad opere di rigorosa omogeneità formale, nelle quali riconosce la sua stessa ispirazione.

A ciò si deve poi aggiungere il fatto che lo strutturalismo, affacciatosi in qualche modo sguarnito per la sua indifferenza alla storia, sul mondo della letteratura, deve affidarsi a tradizioni critiche già ampiamente consolidate per individuare un proprio campo di applicazione.

Lo conferma l'elenco degli interventi sul III libro delle *Laudi*, troppo emblematico per non riportarne le voci più significative: lo inaugura Aldo Rossi con una lettura della *Pioggia nel pineto* (Rossi, 1967); segue Pier Vincenzo Mengaldo con *Un parere sul linguaggio di «Alcyone»* (1971, ora in Mengaldo, 1975); Stefano Agosti, con una analisi strutturale di *Lungo l'Affrico*, 1972 (ma di lui si veda anche la lettura di *Stabat nuda aestas*, 1985); poi Giorgio Luti, *Struttura e simmetrie alcioniche*, 1973 (Luti, 1973); Emilio Mariano, con *Suoni e significati ermetici di Alcyone*, 1973 e l'analisi dell'*Oleandro* (in *D'Annunzio e il Simbolismo europeo*, 1976); Angelo Jacomuzzi, *L'«oratio perpetua» delle Laudi* (1973, ora in Jacomuzzi, 1974) dove l'analisi formale si amplia però a considerazioni d'ordine ideologico; Mario Pazzaglia, con un ampio saggio sulla *Strofa lunga di Alcyone* (Pazzaglia, 1974); Nicola Merola, *Il caso e l'artificio. Lettura della Sera fiesolana*, (in Merola,

1978); Franco Gavazzeni, *Le sinopie di Alcyone*, 1980; Federico Roncoroni, che introduce e commenta l'edizione di *Alcyone* degli «Oscar» Mondadori, 1982 (ma è un saggio che non si limita ad una lettura tecnica e «neutrale»); Pietro Gibellini, con gli studi raccolti in *Logos e mythos*, 1985 (ricerche già apparse in rivista a partire dal 1977); Giorgio Bàrberi Squarotti, *«Alcyone» o la poesia del fare poesia*, 1985, ecc.

Molto ci sarebbe da dire, ma con il rischio di ripetersi o anticipare. Bisogna però almeno ricordare l'indubbio merito di questa convergenza di interessi; aver definitivamente dimostrato la solida e faticosamente conquistata architettura di *Alcyone*, che non nasce di getto, ma è il prodotto di una elaborazione lenta e meditata, e assume la definitiva fisionomia grazie a calibrate operazioni di montaggio: «l'unità dell'*Alcyone* si realizzava per linee interne mediante la tecnica giustappositiva, nell'equilibrio delle parti e nei segreti rapporti di collegamento in sede tematica e metrica, attraverso un sottile reticolato di rimandi e richiami interni ed esterni» (Luti, p. 39). Il libro insomma concresce e si modella nel corso di più anni realizzandosi come «canzoniere» (Gavazzeni) per la «volontà di D'Annunzio di conferir[gli], oltre che un ordine temporale, un'organizzazione spaziale» (Gavazzeni, p. 87). Proprio questa impeccabile organicità garantisce una «significazione mitopoietica» (Gibellini, p. 35), sullo sfondo della «attesa, provata e perduta esperienza panica» (ivi, p. 37).

Sono traguardi importanti, e si devono a quegli studiosi (soprattutto, ma non solo, Luti, Gibellini, Gavazzeni) che, formatisi nel campo della storia della lingua e nella pratica filologica, hanno saputo applicare ai manoscritti dannunziani, con un occhio ai *Taccuini* e con l'altro alle risultanze biografiche, agli epistolari, ecc., la critica delle varianti, traendone fini deduzioni strutturali, semantiche, cronologiche.

A questi traguardi si aggiungono risultati salienti anche sul piano della individuazione delle caratteristiche formali di *Alcyone*: un libro che in qualche modo sconcerta, ha osservato argutamente Mengaldo, «perché è nato bell'e classico» (e chi negherebbe che lo sia?), «senza sforzi e senza fratture da parte dell'autore né con altri né con se stesso», senza essere insomma mai stato «oper[a] di polemica e di rottura» (Mengaldo, p. 182). Eppure un libro innegabilmente sperimentale e di «miracolosa inventiva tecnica» (ivi, p. 189), dove però l'inquietudine della ricerca si placa nella trasparenza cristallina di «strutture assolutamente monostilistiche» e si appaga nelle volute di un linguaggio aulico che nasconde le cose più che richiamarle.

In questa autosufficienza dello stile il rischio del «superamento per eccesso dell'oggetto» (Jacomuzzi, p. 50), del dato reale concreto, che si traduce nella soluzione dell'«*oratio perpetua*», lo schema formale predominante e tipico delle *Laudi*. Il discorso poetico procede per accumulazione di artifici retorici, soprattutto la «comparazione seriale» (ivi, p. 42) e l'«enumerazione protratta» (p. 43), che ne permettono l'espansione arbitraria e potenzialmente illimitata, ma nel tempo stesso «lo riconduco[no] costantemente a un ordine, alla legalità e alla razionalità formale di uno schema» (p. 50).

La realtà perde così ogni concretezza nell'apoteosi della «letteratura non come spazio critico e antagonistico ma come convenzione stabilita e invalicabile» (ivi, p. 53). È quel «mondo apparentemente vicino e sostanzialmente remoto» di cui parla Pazzaglia (Pazzaglia, p. 200), con maggior disponibilità di Jacomuzzi a gustare i virtuosismi metrici e di cadenza che fanno la «musica» di *Alcyone*.

Il modulo metrico prevalente è l'innovativa «strofa lunga», vera via italiana al verso libero. Eppure, in fondo, «la strofa libera dannunziana rifugge [...] da un imprevedibile spazio d'avventura per sottolineare una più tranquilla certezza di ritorni, il dominio del poeta sull'oggetto evocato, piuttosto che la problematica ricerca di approdi inesplorati. Parallelamente a questo consapevole limite gnoseologico, essa è orientata verso la forma chiusa, con rigorose corrispondenze strutturali» (ivi, p. 200).

Ma eccoci al rovescio della medaglia: una critica così concentrata in ardui esercizi di intelligenza interpretativa finisce a volte per dimenticare che la cellula al microscopio non è che un anello della catena e che solo in relazione a quella (la globalità dell'esperienza artistica e umana del poeta!) riesce veramente ad illuminarsi di senso. Si spiegano allora certe sbavature impressionistiche quando il critico trascorre dalla quantificazione al giudizio (che comunque rappresenta, in questi anni di crisi dei massimi sistemi, un problema comune a tutti gli indirizzi); o, più spesso, l'abbandono ad una lettura acriticamente partecipe, che si lascia irretire dalla mostruosa sapienza tecnica dell'Artifex. Una «riabilitazione» per eccesso che non sembra la via giusta per un giudizio finalmente equo sull'uomo e sull'opera.

Ha buon gioco Roncoroni, nelle pagine dove sintetizza un decennio di studi alcioni, a ribadire l'imprescindibilità, per una corretta comprensione delle *Laudi*, «del mito del superuomo e, per quel che riguarda il fatto essenziale ed importantissimo dell'espressione e dello stile, [del]la poetica che esso sottende» (Roncoroni, Introduzione a *Alcyone*, 1982, p. 11): precisazione inutile, verrebbe di dire, perché ripropone un concetto che ormai dovrebbe indelebilmente appartenere alla moderna immagine di D'Annunzio. E invece no: in molte delle analisi che ho appena citato il superuomo sparisce, cancellato anche di nome come se si trattasse di un elemento estraneo, in nessun modo capace di agevolare la comprensione dell'opera.

È ancora Roncoroni a far giustamente notare la contemporaneità compositiva di molte Laudi e di versi destinati a confluire in *Elettra* e *Laus Vitae*: in questo indistricabile intreccio la tregua di *Alcyone* è un fenomeno solo apparente, risultato di un processo deliberato di selezione tematica che non fa che attenuare gli «aspetti più enfatici e rumorosi» (ivi, p. 12) dell'ideologia superomistica. Dietro l'ebbrezza di *Alcyone* si devono così in conclusione ancora riconoscere le medesime motivazioni psicologiche, ideologiche e morali che animano le raccolte contemporanee, e la sua musicale levità deve essere considerata una conquista tutta interna al mondo del superuomo, come lasciava d'altronde intuire la presenza ricorrente del motivo agonistico nelle ultime liriche della raccolta.

È il momento ora di lasciare da parte quelle ricerche che in ragione del loro metodo (variantistica, storia della lingua, ecc.) hanno mantenuto vivo il senso del divenire, per vedere invece più da vicino le soluzioni critiche ispirate a criteri di rigoroso sincronismo strutturalista: un esempio interessante lo può fornire la lettura della *Pioggia nel pineto* di Aldo Rossi, esemplare per il suo carattere pionieristico.

Il compito cui si accinge il critico è quello di verificare l'organicità della celebre lirica: una operazione condotta sulla base di un minuzioso esame stratigrafico che porta all'individuazione di due tensioni dinamiche, di due movimenti contrapposti, quello della pioggia (alto-basso), e quello percettivo del soggetto umano (basso-alto), e fa affiorare una serrata sequenza di equivalenze fonologiche.

«*Tout se tient* [...] nel sistema alcionico dannunziano» (Rossi, 1967, p. 73), conclude Rossi, riaffermando in polemica con Croce (al quale, si sa, le odi di *Alcyone* non parevano capolavori) il valore dell'«attitudine sperimentale ed empirica» (ivi) contro ogni estetica intuizionistica.

In realtà, a parte qualche rilievo di indubbio interesse, a questo intervento non va il merito di grandi risultati interpretativi: pur finemente svolto, il discorso propizia una sola acquisizione, la verifica della operatività della funzione poetica nella *Pioggia nel pineto*.

Più utile forse il suo valore polemico (non si dimentichi che il saggio risale al 1967!) nei confronti di chi ancora negava, in critica letteraria, l'importanza di analisi attente allo specifico formale. Posizioni sostenute ai giorni nostri non più dai crociani, estintisi senza eredi, ma da una certa critica impegnata, predisposta a letture monoprospettiche e manichee dall'esasperata cifra polemica del suo approccio.

Una riprova di questo pericolo si trova nelle pagine su D'Annunzio di Arcangelo Leone de Castris (*Il decadentismo italiano*, 1974, ma il nucleo del capitolo dannunziano risale a dieci anni prima, il che spiega molte cose), che affronta *Alcyone* in una prospettiva di chiusa intransigenza: si tratterebbe di arte impressionistica, meramente decorativa, assai povera strutturalmente e del tutto priva di una vera «dimensione di parole umane» (ivi, p. 221). Molte affermazioni del critico barese appaiono perfettamente condivisibili: l'«incapacità di sintesi conoscitiva e di concentrazione espressiva» (p. 215) in D'Annunzio, la presenza costante in tutta la sua opera dell'assillo superomistico, il carattere mistificante di un'idea di bellezza intesa come «restaurazione-fondazione di un mondo alternativo al mondo storico contemporaneo» (p. 223); mentre non poco stimolanti risultano certi accenni sociologici di matrice gramsciana, che consentono di proporre una suggestiva interpretazione del decadentismo nel suo insieme. Ma per quanto riguarda invece la lettura di *Alcyone* si ritorna indietro, alla tesi crociana di D'Annunzio corruttore del gusto e del costume, senza crescita né evoluzione: inutile aggiungere che da questa prospettiva, che colloca le *Laudi* quasi senza eccezioni sotto il segno del kitsch e della malafede, non è possibile metterne in evidenza gli originali tratti formali, le anticipazioni novecentesche, la particolare posizione nello svolgimento della parabola artistica di D'Annunzio.

Se si può facilmente concordare sul fatto che «d'assioma dello spazio assoluto della letteratura» (ivi, p. 262), sul quale si fonda tutta la sua arte, nasce da un orizzonte ideologico dai tratti decisamente restaurativi, va anche ribadito che un discorso generalizzato e globalistico di critica ai contenuti (che ha talvolta nel gusto un perfido alleato) non riesce ad essere veramente chiarificante nei confronti del fenomeno che studia.

L'intervento di Rossi e quello di Leone de Castris si collocano con evidenza quasi emblematica in opposizione diametrale; e nelle loro radicali opzioni metodologiche rivelano i corni del dilemma che deve affrontare una critica non insensibile ai valori formali e non sorda al senso della storia.

A fianco del non esiguo manipolo di critici che hanno coraggiosamente conglobato l'interesse per lo specifico formale in metodologie di taglio storicistico, coloro che con più profitto hanno saputo contemperare le diverse esigenze sono stati in genere gli esponenti del gruppo torinese di «Sigma». Particolarmente attenti, per ragioni di metodo e di cultura, al problema di come una visione del mondo si traduca in scelte di stile e di struttura, essi hanno cercato di capire il valore ideologico dell'arte di D'Annunzio in relazione a quella concreta realtà storica che le pagine del Vate ora mitizzano, ora (ma assai di rado) rendono criticamente trasparente. Una chiave di lettura che, pienamente legittima, ha pure a volte comportato, sullo sfondo delle esperienze e delle illusioni della stagione neo-avanguardista, la sopravvalutazione della significatività ideologica dei materiali espressivi; quasi che la forma fosse sempre e comunque più esplicita dei contenuti, e che nella forma, affrontata con gli strumenti talvolta capziosamente sottili dell'analisi stilistica, fosse possibile leggere in modo esauriente e definitivo la storia dell'esperienza umana, etica e ideologica dell'autore.

Inaugura l'impegno dannunziano del gruppo Marziano Guglielminetti con *L'orazione di D'Annunzio* (in *Struttura e sintassi del romanzo italiano del primo Novecento*, 1964, ultima ristampa 1986) che individua nelle *Vergini delle rocce* un riuscito tentativo di erosione della forma-romanzo ottocentesca, «la cui prerogativa di obiettività contraddiceva troppo scopertamente con l'intuizione, ormai largamente acquisita nella cultura del tempo, della "duplicità" degli stati di coscienza avvertibile in ogni persona» (Guglielminetti, 1986, p. 29). L'operazione dannunziana conduce all'«esaltazione quasi parossistica delle possibilità associative ed allegoriche insite nel linguaggio» (ivi, p. 47) e provoca uno sfaldamento nei «rapporti di subordinazione della sintassi [...] [che] non è tanto il residuo di una perpetua impotenza narrativa, quanto l'avvio a ricercare il diverso e più solenne dettato romanzesco dell'orazione» (p. 43).

Del 1970 è il volume di Mario Ricciardi dal titolo emblematico di *Coscienza e struttura nella prosa di D'Annunzio*, cui seguono i saggi di Bàrberi Squarotti sulle due redazioni di *Canto novo* (in Bàrberi Squarotti, 1971), prima uscita dannunziana di un critico che in più decenni di impegno su questo autore si è sforzato di ampliare gli orizzonti del discorso interpretativo, conducendo una operazione coraggiosa ma, bisogna sottolinearlo, non scevra di rischi e malintesi.

Agli stessi anni Settanta risalgono infine i saggi di Angelo Jacomuzzi (in volume nel 1974), che ha continuato in seguito ad offrire pregevoli esempi di interpretazione dannunziana.

Il motivo comune è l'approfondimento, in sede d'analisi stilistica, dell'«anti-realismo» di D'Annunzio, considerato come la caratteristica ideologico-formale predominante: un concetto che appariva già nel saggio della Mertens Bertozzi, dove operava però come la coda di Minosse denunciando vizi e stabilendo condanne. In questi critici invece, che fanno tesoro delle ricerche sui livelli stilistici di Erich Auerbach, la categoria acquista una nuova elasticità, al di qua di tentazioni dogmatiche.

Per chiarire meglio il discorso sarebbe utile ricordare partitamente il contributo di ciascuno, ma lo spazio a disposizione non lo permette; pur con sfumature di rilievo i critici del gruppo si muovono però unitariamente in maniera che le singole acquisizioni finiscono per completarsi in un lavoro d'assieme, il cui risultato è un'immagine di D'Annunzio a volte inedita, spesso persuasiva. Un intellettuale, spiega Jacomuzzi (*L'officina dannunziana*, in Jacomuzzi, 1974, p. 7), che ha perseguito per tutta la vita il disperato tentativo di «restaurare e stabilire una sua figura aristocratica, e più precisamente dispotica dell'uomo e della società», nell'epoca stessa dei primi cauti tentativi di democratizzazione, «in simbiosi e in antinomia con un'idea e un contenuto sostanzialmente e intimamente borghese dell'attività umana»; da qui l'esito paradossale di propiziare, in un esibito sacerdozio estetico, la riduzione della letteratura «al di fuori e al di sopra di ogni mediazione critica e conoscitiva [...] [a] pura produttività di forme» (ivi, p. 22).

Un percorso verso la poesia come spazio sublime e autosufficiente inaugurato in *Canto novo*, che rivela, nel confronto delle due redazioni (1882, 1896), i segnali della «ricostruzione dei testi [...] in autonomi organismi [...] che hanno inizio e fine in se stessi, nel cerchio della loro compagine verbale, rifiutando le responsabilità e la verità al di fuori, nella relazione con le cose» (Bàrberi Squarotti, 1971, p. 62), e proseguito, senza sensibili variazioni di rotta, fino alla scoperta della «prosa d'arte», dove, sostiene Ricciardi, si verifica un acquisto solo apparente di cordialità, dal momento che il parlare sommesso del poeta tende a recuperare momenti di esperienza privata esaltati sempre e comunque come inimitabili e preziosi, con scelte di fondo d'ordine ideologico-stilistico immutabilmente aristocratiche ed anti-realistiche.

Eppure anche con questi critici l'Imaginifico si prende qualche rivalsa: uno stile che sempre delude ogni istanza di approfondimento critico-conoscitivo fa risaltare per contrasto quei rari momenti nei quali sembra aprirsi una crepa nell'impeccabile smalto delle superfici. Allora il superuomo pare scendere dal suo piedistallo di gesti sublimi per rivelare agli uomini qualcosa di loro e di se stesso: brevi parentesi che ciascun critico individua in consonanza con le sue scelte di metodo, sollecitato dal suo gusto e dai suoi interessi di lettore.

Così se Ricciardi rintraccia nell'ultimo romanzo, *Forse che sì forse che no*, una potenziale problematicità (che non sfiora però il protagonista, Paolo Tarsis, modellato sul calco del superuomo), Jacomuzzi individua invece nel *Compagno dagli occhi senza cigli*, «insieme con altre larghe zone delle *Faville del maglio*, e anche in certe pagine che possono sembrare compiaciute e trionfali [...] [una] esperienza di fallimento nell'aspirazione verso un'arte della parola assoluta e totalizzante» (*Il compagno dagli occhi senza cigli*, in Jacomuzzi, 1974, p. 77), che riscatta l'inutile frastuono di tanti altri momenti.

Balena allora una traccia «della coscienza storica dell'estraneità dei riti della letteratura al reale dell'uomo e della storia» (ivi, p. 74), i cui tormenti, l'arte, nel suo sterile sforzo di perfezione, finisce per dimenticare: come a ricordare che D'Annunzio ha saputo marginalmente avvertire la maturazione di un contesto dove, per dirla con lo sberleffo agro-dolce di Palazzeschi, «gli uomini non domandano più nulla/dai poeti», ma ha costantemente operato con gli strumenti del Sublime contro questa aurorale consapevolezza, destinata a riemergere quasi a tradimento quando il superuomo si abbandona ad un attimo di stanchezza e malinconia.

Prima di concludere sarà opportuno ricordare un altro tema sul quale la critica ha molto insistito: la collocazione mediana di D'Annunzio fra tradizione e modernità, il suo cauto sperimentare sul crocicchio che separa la poesia ottocentesca dalla lirica moderna, la sua forza anticipatrice cui fa da contrappeso, nel senso di una persistente autocensura, un solido e coltivato legame con il passato.

Così Pazzaglia, memore delle indicazioni di Contini (*Innovazioni metriche italiane tra Otto e Novecento*, 1968, per Contini, 1970), a proposito delle forme alcionie: «il compromesso fra libertà e rigore, il reinventarsi volta per volta delle regole del gioco, richiamandosi però costantemente alle convenzioni della metrica ''regolare'', rivelano un legame ancora stretto con la tradizione, anche se congiunto a una strenua volontà sperimentale, ma che era a quei tempi fenomeno non soltanto italiano, ma europeo» (Pazzaglia, 1974, p. 205).

«Se qualcuno dei poeti che conosciamo è da collocare tra i poeti che diciamo ''moderni'' (il che non vuol dire propriamente e strettamente ''novecenteschi'')», sostiene invece Anceschi (*Introduzione a D'Annunzio*, 1984, p. XXVII), «costui è proprio D'Annunzio [...], soprattutto per la continua, ansiosa attenzione consapevole che egli portò al proprio fare, e alla forza con cui questa attenzione si trasformò in mobilissime istituzioni nel continuo mobilissimo variare dei suoi progetti».

Enunciato perentorio, ma subito mitigato in una rubricazione inaspettata, nel segno del manierismo. L'unico modo, forse, per rivendicare alla modernità quest'arte artificiata ed ambigua, eccessiva e museale, dove «il massimo grado dell'autenticità si accorda [...] con il massimo grado dell'artificio» (ivi, p. XXX); un manierismo «spietato e vampiresco» (p. LXII) che si manifesta anche «nella evidenza di certi suoi percorsi interni di ripetizione ciclica» (p. XCIX); un manierismo infine «come recupero sincronico [...] dei segreti del passato della poesia per servirsene e portarli sotto una luce inattesa [...], per eludere [...]

46

quella crisi che tra Rimbaud e Nietzsche si faceva sempre più chiara» (p. LXV).

Il discorso fin qui svolto ha bisogno di un breve complemento: il processo di revisione del giudizio critico su D'Annunzio e la rilettura della sua opera a partire dagli anni Sessanta ha portato, contestualmente, alla rivalutazione o addirittura alla scoperta, se si tratta di pagine inedite, dell'opera minore, delle prove d'officina, dei carteggi (materiale vastissimo, ancora in parte inedito o disperso), dei *Taccuini*, ecc.

Com'è ovvio questo interesse per l'inedito e il documento, proprio perché illustra la genesi della poesia nel suo retroterra tecnico ed elaborativo, ha coinvolto soprattutto la critica più attenta alle ragioni della forma, che ne ha spesso dedotto rilievi di fondamentale importanza. Ciò non autorizza però a parlare di conquiste solo settoriali, perché da queste esplorazioni ha tratto giovamento il discorso complessivo su D'Annunzio e la sua opera. Si pensi soltanto all'utilità della ricerca sulle fonti (che a volte sono lessici e dizionari!), inaugurata in anni ormai lontani da Mario Praz e da Guy Tosi (e da Ettore Paratore, per il rapporto con il mondo classico) che molto ha saputo rilevare sui meccanismi selettivi e appropriativi di un lettore frenetico ed onnivoro come D'Annunzio. Oppure al caso dei *Taccuini*, forse il più emblematico perché, mettendo finalmente a disposizione degli studiosi gli appunti del poeta, ha permesso importantissime aperture esegetiche, determinando decisivi riaggiustamenti di giudizio.

Molto resta ancora da fare, ma i lavori fervono, lasciando intravedere nuovi traguardi e qualche pericolo; se non altro quello che il discorso su D'Annunzio si isterilisca, nei lavori di ricercatori specializzatissimi, in un positivismo erudito, felice nel suo orticello ben sarchiato: che la filologia dannunziana (perché di tale si può ormai parlare) finisca insomma per strutturarsi in un autonomo e separato «genere letterario».

Tappe fondamentali della diffusione dei risultati esegetici sono stati i numeri unici che molte riviste hanno voluto dedicare alla critica dannunziana, e soprattutto i congressi, sempre più numerosi negli ultimi anni, la cui organizzazione si deve alla Fondazione del Vittoriale (che cura tra l'altro la pubblicazione di una rivista di studi specializzati, i «Quaderni del Vittoriale») e al Centro nazionale di studi dannunziani di Pescara, animato da Ettore Paratore nel ruolo di presidente.

Occasioni insostituibili di bilancio, i convegni dannunziani appaiono fondamentali sia per quanto riguarda gli specifici sondaggi che sul piano delle sintesi interpretative; anche se non piace, bisogna aggiungere, quel certo tono compunto e celebrativo, da parenti dell'estinto, che sta prendendo il sopravvento.

Va infine ricordata la crescita della curiosità per la biografia dannunziana, che ha visto inaspettatamente il biondo Gabriele ridiventare, a cinquant'anni dalla morte, immagine abituale dei rotocalchi italiani. Risvolto pettegolo e mondano che accompagna il serio tentativo di studiosi di diversa estrazione di approfondire la figura storica di D'Annunzio, per coglierne il carattere autentico dietro il velo narcisistico dell'autorappresentazione. E qui andranno menzionati i lavori pionieristici di Angelo Gatti, che chiude una stagione di apologie ed invettive, certe pagine di Emilio Mariano e di Eurialo De Michelis, il dibattito a più voci *Ipotesi per una biografia di G. D'Annunzio* (1979), la documentatissima biografia di Paolo Alatri (1983), ecc.

Molta acqua è passata sotto i ponti da quando Mondadori si arrischiava a pubblicare, nei primi numeri della sua serie economica, *Il piacere* di Gabriele D'Annunzio insieme ai classici della letteratura moderna. Il tempo gli ha dato ragione: in questo autore di ambigua e indecifrabile fisionomia, la società italiana, il pubblico e gli studiosi, riconoscono una sfida ancora attuale.

La posizione storica di Gabriele D'Annunzio

Da quando Carlo Salinari, con le pagine sul superuomo, ha rivoluzionato l'immagine di D'Annunzio, molte ricerche hanno contribuito a dare spessore ad un quadro che ancora mostrava, nel primo abbozzo, parecchi limiti di prospettiva.

Il merito della chiarificazione del ruolo storico di D'Annunzio, e dello sfondo ideologico sul quale le sue prese di posizione, la sua stessa poesia, acquistano decifrabilità, si deve più ancora che all'opera mirata dei biografi, ai bilanci e alle sintesi degli storici.

Necessariamente, si deve aggiungere, perché se è vero che il superuomo è il prodotto dell'esperienza storica di una generazione, la compensazione delle sue frustrazioni e la concretizzazione dei suoi sogni di grandezza, è soprattutto sul terreno storico-ideologico che questi fenomeni si possono adeguatamente delucidare.

Sarebbe impossibile tracciare un bilancio degli studi, magari solo provvisorio, e tanto meno seguire le polemiche che hanno suscitato. Non si può però non ricordare quanto complesso ormai appaia, alla luce delle ultime ricognizioni, il panorama degli anni che vanno dalla caduta di Crispi alla prima guerra mondiale. Tramontato il mito di un'età dell'oro delle istituzioni e della società liberale l'attenzione si è spostata sui fenomeni e sui processi che fanno di quel ventennio, al di là di comodi modelli unidimensionali, un laboratorio politico-sociale aperto e contraddittorio; sul movimento nazionalista per esempio, che si evolve lentamente da una fase «letteraria» ad una fase propriamente politica, fino ad affermare a livello di massa la sua ideologia. Movimento di reazione, se si vuole una formula stringata ma non approssimativa,

contro la realtà dei nuovi equilibri sociali che andavano costituendosi, di contestazione e di rifiuto di un presente nel quale la prevalenza del «numero» (cioè la democrazia), l'ascesa delle «plebi», il progressivo tecnicizzarsi dell'esistenza quotidiana politica e sociale tendevano ad annullare l'«eroico», minacciavano, nell'estendersi della realtà operaia e piccolo-borghese, la stessa possibilità di emergenza individuale formata sul possesso di un'istruzione sempre meno esclusiva di fatto, ma forse appunto per questo mitizzata come appannaggio esclusivo dei ceti tradizionalmente abilitati alla direzione del paese. (Gaeta, 1981, pp. 74-5).

Pur nella difficoltà di caratterizzarne in modo preciso le radici sociali, non è sfuggita la matrice borghese del nazionalismo e la sua stessa sottovalutata o malintesa modernità: nel senso che «non rifiutava [la] società di massa, [ma] intendeva perpetuare in essa l'ordine borghese prospettando una società industriale senza la dialettica delle classi» (ivi, p. 26); risultato al quale doveva condurre una strategia di «integrazione nazionale delle masse» (p. 24), per recuperare la minacciosa alterità dei ceti subalterni, secondo la formula della «solidarietà nazionale», ad un disegno di espansionismo economico e militare.

Su questo nuovo sfondo di consapevolezza storica si sono innestate non poche ricerche rivolte a chiarire gli episodi più appariscenti della presenza pubblica di D'Annunzio. Come spesso succede quando si studia il personaggio i risultati sembrano paradossali o per lo meno di intrinseca ambiguità: se è impossibile non parlare di un «D'Annunzio politico», riesce altrettanto impossibile legarlo conclusivamente ed in modo persuasivo ad una formula, semplificando un percorso ideologico ed esistenziale che sembra collocarsi al di fuori di ogni categoria di prevedibilità.

Asor Rosa ne inquadra il profilo e le scelte in relazione ad «una complessa concezione nazionalistica» (Asor Rosa, 1975, p. 1049), Scarano Lugnani lo definisce «l'esempio storico forse più macroscopico nel Novecento del letterato esplicitamente organico alla classe dominante» (Scarano Lugnani, 1976, p. 102). Definizioni tutte giuste a patto di tener presente l'originale campata della sua ideologia che ha al centro l'idea della Bellezza e affronta il sociale attraverso l'estetica, al di fuori di ogni esplicita e coerente disciplina ideologica, in una tensione di individualismo irrazionalistico e di volontà di protagonismo a tutti i costi.

D'altra parte il «sublime» di D'Annunzio è un sublime riutilizzabile in senso schiettamente politico: «D'Annunzio — ricorda Asor Rosa — compiva il miracolo di forzare ad una circolazione culturale di massa una serie di miti che, nella loro sostanza, erano tipicamente elitari e anti-democratici», operazione possibile solo perché «la letteratura era ancora in Italia il medium fondamentale di ogni comunicazione ideologica di massa» (Asor Rosa, p. 1086).

È questo il retroterra che spiega l'esaltazione del gesto eroico e risolutore, dei grandi destini, della guerra perfino, come opera di Bellezza: un estetismo praticistico che D'Annunzio non saprà mai superare o depurare.

Ed è qui che ha radice e si risolve quella «serie di potenzialità critiche nei confronti della realtà storica e sociale» del suo tempo su cui ha richiamato l'attenzione Emanuella Scarano Lugnani (1976, p. 102): potenzialità mai però riscattate dalla evasività mitica che ne annulla la carica trasgressiva.

D'Annunzio, già agli esordi della sua attività di narratore, aveva sottolineato con insistenza, per bocca di Andrea Sperelli, i peccati contro la Bellezza della sua epoca di *parvenus* e speculatori, scempi edilizi e cattivo gusto, contrapponendo ad un presente ambiguamente demonizzato (perché la stessa arte di D'Annunzio non si potrebbe comprendere al di fuori dei processi di mercificazione e di consumo) un mitico passato di aristocratica raffinatezza (e qui emergono i sogni e le velleità del ceto medio rurale), quando il bello e l'eroico, assieme al potere e alla ricchezza, sarebbero stati appannaggio, senza insidie o minacce dal basso, di un patriziato altero e raffinato, geloso custode dei suoi privilegi di casta.

Una mitica età dell'oro da restaurare sposando i progetti più estremi ed autoritari delle classi al potere, nell'ipotesi di un superuomo mediatore di consenso e ierofante di cerimonie estetiche per quelle masse che solo grazie al poeta-eroe avrebbero potuto partecipare all'agape della Bellezza (coerentemente d'altronde con l'elitismo di fine secolo nel cui clima D'Annunzio ha maturato la sua ideologia).

Un'idea certo reazionaria ma, al tempo stesso, straordinariamente attuale, dal momento che il mito della massa, docile materia nelle mani dell'artefice, rispecchia con trasparente metafora le strategie di integrazione subalterna che, come si è detto, andava elaborando la classe dominante.

Ricorda Petronio, commentando Maia,

la presa di coscienza dell'esistenza di una massa, la consapevolezza che con essa bisogna vedersela, che il futuro si plasma non solo richiamando a nuovi splendori le aristocrazie fatiscenti, ma incanalando e guidando quelle folle di uomini; «fetidi sì, ma robusti, con su i volti selvaggi / impresse le impronte tenaci / della materia bruta», ma capaci pure di fare della loro pena «una sola rabbia» (*Appunti per una biografia sociale*, in AA.VV., 1979, p. 30).

Con parole che ritorneranno testuali nel *Fuoco*, D'Annunzio, candidato di parte moderata alle elezioni, annuncia già nel 1897 che «un atto è la parola del poeta comunicata alla folla, un atto come il gesto dell'eroe [...] un atto che crea dall'oscurità dell'anima innumerevole un'istantanea bellezza» (ora *Laude dell'illaudato*, in *Il libro della giovane Italia*, ed. naz., p. 26). E in questo sogno egotistico di attivismo estetizzante sta tutto il senso del famoso *Discorso della siepe*, con il suo appello all'azione, «quell'azione virile a cui aspiriamo — talvolta con dolorosa frenesia nascosta — noi tutti che vedemmo tramontare sulla ruina della patria la nostra gioventù delusa»; nella consapevolezza che «la fortuna d'Italia è inseparabile dalle sorti della Bellezza, cui ella è madre» (ivi, pp. 26, 33).

Nella cronaca e nei contenuti di questa vicenda c'è già tutto D'Annunzio: la breve stagione del poeta-deputato, con il corollario delle pagine anti-popolari del maggio 1898, recuperate da De Michelis (*La primavera di sangue*, in De Michelis, 1963), rivelano il clamoroso cambio di bandiera del marzo 1900, ci rivela con inoppugnabile evidenza la sua incapacità di comprendere la politica come attività fatta di pazienza e coerenza, per viverla invece nei limiti di un gesto romantico e plateale; e, contestualmente, la diffidenza e il disprezzo nei confronti delle istituzioni di un provinciale assetato di successo e notorietà,

che la pratica del trasformismo e i piccoli cabotaggi clien-
telari del Parlamento negli anni del declino della Sinistra
non potevano riavvicinare agli istituti dell'Italia liberale.

È del resto lo stesso D'Annunzio in un articolo sul
«Giorno» a chiarire, il 26 marzo, le ragioni che lo avevano
portato al clamoroso voltafaccia dell'adesione all'estrema
sinistra:

> Volli avvicinarli per ammirarli da presso — spiega il poeta
> con riferimento agli ostruzionisti di sinistra —, io che non con-
> sento alla loro idea ma sì bene al loro sforzo distruttivo [...]. In
> questa necessità io convengo con loro, e sarò il loro aiutatore
> nella mia opera. La grande menzogna parlamentare va infet-
> tando tutta la vita italiana, come una piaga cancrenosa in un
> corpo robusto [...]. Dov'è il capo che noi potremmo seguire, ca-
> pace di conciliare i grandi atti con i grandi pensieri e di favorire
> col suo impulso, nello sviluppo economico, le superiori appari-
> zioni della vita? (in Castelli, 1913, pp. 592, 593)

E qui, se si vuole, si individua finalmente un'esile
traccia di continuità che si snoda per tutte le uscite pubbliche del Vate: la formula ideologica ricorrente di chi
nella politica ha visto soprattutto un altro palcoscenico,
un'altra occasione per ostentare qualche nuova maschera,
quella pindarica del vate civile, in questo caso.

«I grandi atti» e «i grandi pensieri» rimandano inequi-
vocabilmente al tema guida della gloria nazionale, che
adombra in una equivoca prospettiva pratico-estetica la
specifica concezione dell'uomo e della società del nazionalismo.

Gli stessi concetti, spesso le stesse espressioni si trovano negli articoli sul «Giorno» del 1900 (e già avevano
fatto comparsa nelle prose dell'*Armata d'Italia*), nelle liriche per la guerra di Libia, nell'oratoria interventista e
fiumana, in molte pagine narrative e teatrali.

Fino a quello scoppio di entusiasmo senile che vede il
principe di Montenevoso dimenticare per la prima volta
rancori e gelosie, e schierarsi incondizionatamente a
fianco del duce e dell'Italia fascista in occasione dell'impresa etiopica:

> Tutta quanta l'irta Etiopia deve inesorabilmente diventare

un altipiano della cultura latina, afferma in un messaggio a Benito Mussolini nel giorno dell'anniversario di Adua, il 1° marzo 1936, (*Adua - A Benito Mussolini* in *Teneo te Africa*, ed. naz., p. 211). E continua: Sii lodato tu che riesci a infondere nella nostra gente per troppo tempo inerte la volontà di questo compimento. Sii lodato tu che tanti secoli senza storia guerriera compisci con la composta bellezza di questo assalto e di questo acquisto.

Per te oggi la nazione trae un respiro dal profondo. E tutto è vivo, tutto respira. Tutto ha un anelito fatale.

Una parabola con molti chiaroscuri, molti episodi da spiegare (e la ricerca storiografica lo sta facendo egregiamente), molte venature; ma, come si vede, sostanzialmente statica, tutta giocata sulla ripetizione, come spesso succede in D'Annunzio, di «scoperte» precocissime poi cristallizzate, per l'incapacità di una verifica continua.

Se questo è il quadro più convincente non mancano voci discordi e letture divergenti. A proposito dell'impresa di Fiume, soprattutto, che è, a questo riguardo, il primo argomento da affrontare.

Vicenda troppo nota perché la si debba riassumere, copre il periodo che va dalla «Marcia di Ronchi» (11 settembre 1919) al «Natale di sangue» del 1920, quando le truppe del generale Caviglia fecero sanguinosamente sloggiare i legionari del Carnaro.

Proprio in questa parentesi fiumana, che vede D'Annunzio nelle vesti quasi rinascimentali di reggitore di città, si è voluto individuare in anni recenti la manifestazione di un aspetto nuovo, di sinistra, dell'ideologia dannunziana: interpretazione che è il frutto estremo e paradossale della nuova disponibilità manifestatasi negli anni Sessanta nei confronti dell'opera e dell'uomo; D'Annunzio appare così impegnato in un «consapevole sforzo» di interpretare «la nuova temperie culturale e sociale», che si esprime in una serie di «manifestazioni umanitarie socialisteggianti e anarchizzanti» (Valeri, 1963, p. 13). Chi si è spinto più avanti in questa direzione è stato Renzo De Felice, che in più occasioni ha voluto sottolineare la «carica eversivo-rivoluzionaria che buona parte del fiumanesimo venne pur confusamente assumendo» (De Felice,

1978, p. 29), tanto da avallare nella sostanza l'immagine di un D'Annunzio inedito, interprete degli stati d'animo più arditamente rivoluzionari dell'ambiente legionario, sostenitore della sovranità del lavoro, favorevolmente disposto nei confronti delle rivendicazioni dei popoli oppressi e attratto dall'esperienza della Russia sovietica: «io sono per il comunismo senza dittatura», avrebbe detto all'anarchico Vella, aggiungendo come spiegazione «nessuna meraviglia, poiché tutta la mia cultura è anarchica, e poiché in me è radicata la convinzione che, dopo quest'ultima guerra, la storia scioglierà un novello volo verso un audacissimo progresso» (ivi, p. 61, nota).

Ora, allo stato attuale degli studi, nessuno può contestare che una delle tante anime del movimento fiumano abbia espresso una inclinazione rivoluzionaria, ed è stato senza dubbio merito di De Felice richiamare l'attenzione su questo aspetto ancora ignorato del coagulo eterogeneo e instabile di forze che hanno portato all'impresa di Fiume, cancellando pregiudizi e semplificazioni. Si è scoperto così un settore del fiumanesimo destinato a schierarsi, negli anni dell'attacco fascista alla legalità istituzionale, su posizioni antimussoliniane, perfezionando una germinale inclinazione «proletaria».

Ma l'interpretazione di De Felice, per suggestiva che sia, va tuttavia presa con una certa cautela: premessa indispensabile è la considerazione che D'Annunzio non rappresenta tutto il fiumanesimo, né tanto meno può esserne considerato la coscienza politica più lucidamente progressista: per interpretare le scelte di un uomo che tutti i commentatori hanno visto tentennante e insicuro, volubile ed emotivo, politicamente influenzabile e di corte vedute, non resta altra strada che riportare il momento fiumano alla globalità del suo percorso esistenziale e ideologico. La sua adesione al disegno deambrisiano della Carta del Carnaro — la Costituzione fiumana —, che De Felice vorrebbe «sincera e convinta», appare per esempio, ad occhi abituati a decifrare le pose del Comandante, una fiammata di entusiasmo, come tante altre prima e dopo. Il ruolo di D'Annunzio sembra esser stato in questo frangente quello dell'aulico prosatore che rielabora una materia non propria, con poche aggiunte di suo pugno limitate a tematiche religiose e artistiche, a partire dal progetto di De Ambris di una Costituzione corporativa fondata sull'idea della superiorità del lavoro. Ed è proprio De Felice che ha ampiamente dimostrato (1973) l'enorme debito di D'Annunzio nei confronti del suo collaboratore, quell'Alceste De Ambris, socialista prima, poi sindacalista rivoluzionario, infine strenuo oppositore del fascismo dall'esilio francese, alle cui convinzioni è da ricollegare il nucleo concettuale della Carta costituzionale.

Si può dare per certo che nel pensiero di De Ambris le eleganti clausole si sostanziassero di precisi contenuti ideologici, politici e istituzionali; ma, per il Comandante si è autorizzati a pensare che la *Carta di Libertà del Carnaro* valesse soprattutto come bella letteratura, in una nuova sfida all'arte da vincere elevando all'eleganza della forma ruvide espressioni giuridico-istituzionali, le cui implicazioni più profonde dovevano, per congenita estraneità, rimanergli oscure.

Come D'Annunzio fosse, in altri momenti, pronto a calpestare la volontà del popolo sovrano e del suo organo rappresentativo, possono ben dimostrarlo vari episodi della Reggenza: il più emblematico forse, è la sconfessione da parte di D'Annunzio dell'intesa sul «*modus vivendi*» (una bozza d'accordo proposta dal governo italiano) voluta nel dicembre 1919 dal Consiglio nazionale di Fiume e da un plebiscito popolare tenutosi negli stessi giorni.

È qui che si misura anche l'ambiguità dei criteri storiografici di De Felice: nel caso del fiumanesimo come a proposito del fascismo (si veda per esempio l'*Intervista sul fascismo*, del 1975), egli tende a privilegiare le inespresse potenzialità o se si vuole il retroterra psicologico sulla realtà concreta degli eventi realizzati: in questo modo può indicare nel fascismo una «manifestazione del [...] totalitarismo di sinistra» (De Felice, 1975, p. 105) e, sulle stesse basi, proporre l'inusitato profilo di un D'Annunzio progressista. Ma, è ovvio, la storia fatta con i se, e spiegata sulla base delle segrete inclinazioni dei protagonisti diventa terreno di giostra di letture soggettivistiche e arbitrarie.

Si rileggano invece, senza filtri pregiudiziali, i discorsi fiumani, soprattutto quelli legati a tematiche di politica estera: non è difficile riconoscere dietro gli orpelli e l'evasività del linguaggio metaforico, le rivendicazioni del programma di massima del nazionalismo italiano; l'Adriatico «Mare nostrum», lo stabile possesso di Zara, Spalato e delle isole dalmate.

Un nazionalismo da letterato, che ha fatto i conti con le masse constatandone nelle manifestazioni di piazza e nella guerra la forza dirompente, ma che non per questo è diventato una forza di progresso e di democrazia.

Se passiamo poi agli altri episodi che vengono indicati come espressioni inequivocabili della svolta ideologica di D'Annunzio, all'idea della Lega di Fiume, per esempio, essi sembrano consentire analoghe conclusioni.

Anche in questo caso l'idea è di un altro, il poeta Leon Kochnitzky, che voleva l'alleanza dei popoli ingiustamente trattati dalla Conferenza di Versailles e in lotta per la propria indipendenza, per dare un respiro internazionale agli ideali politico-sociali del fiumanesimo. Nel progetto della Lega di Fiume vi erano certo molti motivi atti a solleticare l'interesse di D'Annunzio, gli altri non li vedeva o non li capiva.

In primo luogo la polemica contro la democrazia, le democrazie borghesi e l'Inghilterra. In secondo luogo il fatto che la costituzione della Lega (lo ammette lo stesso De Felice) avrebbe potuto provocare, fomentando il nazionalismo dei popoli jugoslavi oppressi della Serbia, delle reazioni a catena d'ordine insurrezionale, con l'auspicabile risultato di eliminare dalla scena internazionale il più pericoloso concorrente dell'Italia nella vicenda di Fiume.

E che dire infine del nuovo ordinamento militare, vi si può effettivamente riconoscere la manifestazione di un'utopia egualitaria? Esso «tendeva a gettare le basi di un nuovo tipo d'esercito "d'assalto", fondato, per un verso, sul più completo rapporto fiduciario e personale tra il "comandante" e i suoi uomini e, per un altro verso sull'autogoverno di questi attraverso un apposito "consiglio militare" i cui membri dovevano deliberare a maggioranza e in piena eguaglianza, qualunque fosse il loro grado» (De Felice, 1978, pp. 122-3).

Per coglierne il carattere autentico basta rileggere, io credo, alcuni punti nodali del regolamento; l'articolo 1 del primo titolo, per esempio (*Dei fondamenti*): «Ogni comando intermedio tra l'Esercito e il Comandante è abolito» (De Felice, 1974, p. 490); su questo sfondo anche gli articoli 15 e 17 del titolo *Del consiglio militare* acquistano un carattere molto esplicito. Se infatti «In ogni questione militare il Consiglio può essere consultato e chiamato a dar voto consultivo [...]» (art. 15) e «Quando il Consiglio si aduna, l'autorità del grado militare cessa. Nel parere e nel voto tutti i Consiglieri sono uguali» (art. 17), è pur vero che «Ciascuna deliberazione del Consiglio militare può essere invalidata dal Comandante. Contro ciascuna deliberazione del Consiglio militare può essere fatto ricorso al Comandante. Nell'un caso e nell'altro il Comandante risolve e decide inappellabilmente» (art. 14). Come non riconoscere in queste frasi la traduzione d'una idea-mito assai cara a D'Annunzio e al populismo conservatore del primo Novecento, come indicano su scala europea Barrès, George, ecc., che si impegnano, politicizzando l'arte, in una lotta ideologico-morale contro l'individualismo delle democrazie borghesi e l'utopia egalitaria del socialismo, nel sogno di una stirpe aggressivamente solidale intorno ad una mistica figura di condottiero?

Il ruolo di capo carismatico, che ha di fronte a sé la folla dei seguaci (dei fedeli, verrebbe di dire, esplicitando la valenza sacrale di questo rapporto) in trepida attesa della sua parola apostolare, appare pienamente coerente con quegli atteggiamenti e quelle pose che D'Annunzio aveva coltivati nella vita e celebrati nell'arte a partire dagli anni del «superuomo», come rivelano chiaramente non pochi passi de *Il fuoco*, *Maia*, *La nave*.

Molto ci sarebbe ancora da aggiungere , ma quanto già detto mi sembra sufficiente per scoprire nel protagonista di Fiume i tratti dell'uomo di sempre, a suo modo generoso, ma velleitario e superficiale, vanesio ed esibizionista.

Corretta mi pare la soluzione del problema data da Alatri, che considera le «aperture a sinistra» del Comandante «una di quelle iniziative estemporanee e disordinate che caratterizzano la vita politica di un uomo privo di una vera e propria, specifica dimensione politica. Un'iniziativa che nel fondo è contraddetta dal significato generale della sua ideologia e della sua partecipazione alla vita pubblica» (1980, p. 49).

Un altro tentativo di revisione della figura storica di Gabriele D'Annunzio si deve a Bàrberi Squarotti che crede di poter individuare in *Maia* degli accenti nuovi e consapevoli di critica sociale: D'Annunzio vi figura nella veste dell'implacabile accusatore «del carattere abnorme del sistema di produzione di tipo industriale-capitalistico, che si traduce nella riduzione degli uomini a scorie» (*Il poeta nella città*, 1973, in Bàrberi Squarotti, 1974, p. 125). La consapevolezza del destino di degradazione della Bellezza nella società della merce renderebbe il superuomo capace di assumere in *Maia* il ruolo di profeta «della "decima Musa" dell'arte nuova, di pacificazione delle lotte, di salvezza dalla fame, di rifiuto delle frodi, di liberazione dalla mercificazione» (ivi, p. 115).

Una lettura alla quale il critico torinese è rimasto sostanzialmente fedele, come mostra questa pagina del 1985: «c'è soprattutto nella *Laus vitae*, un momento profetico, che riguarda l'assetto sociale e politico, ma in quanto strettamente connesso con una funzione, che D'Annunzio privilegia nel poema, della poesia come educatrice, costruttrice di miti nuovi come ideali per un mondo senza oppressione e sopraffazione nel segno del superuomo» (Bàrberi Squarotti, 1985, p. 98).

La contrapposizione di D'Annunzio al mondo borghese viene vista così come inconciliabile e globale, sfuggendo al critico il suo carattere invece condizionato e dialettico: nonostante l'evasività mitica, l'andamento divagante e discontinuo, la spiccata predilezione per un dettato aulico e classicheggiante (ben intonato per altro al tema del viaggio ellenico), e senza nulla togliere alla dimensione autobiografica, sempre tesa in uno sforzo di esemplarità e allegorismo didattico-eroico, *Maia*, da leggere contestualmente alla coeva raccolta, *Elettra*: rappresenta invece un vibrante atto d'accusa nei confronti di un tipo specifico di società «borghese», quella che si esprime nella democrazia parlamentare e garantisce — riportando il discorso al suo concreto referente storico, il decennio giolittiano — uno spazio d'azione sempre più ampio ed un riconoscimento ufficiale ai movimenti di massa, cattolico e socialista. L'invettiva contro il «gran demagogo» del XVIII canto di *Maia* parla fin troppo chiaro:

> E io vidi allor sul crocicchio
> l'edificator di bordelli
> figliuolo di non marzia lupa,
> satollo di vituperio,
> che s'era estrutto alto luogo
> quivi a tener sue concioni;
> vidi il gran demagogo,
> nomato con nomi di gloria
> Prevaricator sin dal ventre
> e Sacco di saggezza
> escrementizia e Frogia
> mocciosa della vacca Onta,
> sedare il clamore col gesto
> per iscagliar suo verbo
> contro a chiunque s'inalzi
> e contro a tutti gli alti monti
> e contro a tutti i colli ingenti
> e contro a ogni torre eccelsa
> e contro a ogni muro forte
> e contro a tutti i bei disegni
> e contro a tutti i buoni odori.

(Maia, vv. 7204-24)

E poco convince Bàrberi Squarotti che si libera di questa allegoria con una formula abile ma capziosa:

Il demagogo è il frutto volgare, osceno di lotte che la società borghese o il sistema capitalista tendono a risolvere nella conferma dell'abiezione, della schiavitù, della brutalità della violenza oppressiva [...] il «gran demagogo», come capo carismatico in una società capitalista che lo ammette come alfiere di una condizione «mediocre» identificata dal D'Annunzio con la democrazia borghese, rappresenta il momento dell'inganno nei confronti di quella folla in rivolta a cui il discorso è sì indirizzato, ma per un disegno di dominio personale, di trionfo della propria figura di capo fatto oggetto di adorazione bestiale, bassamente erotica. (Bàrberi Squarotti, 1974, pp. 131-5)

È abbastanza chiaro che dietro l'interpretazione di Bàrberi Squarotti sta una visione totalmente negativa della società: sullo stimolo delle apocalittiche profezie dei francofortesi, specialmente di Adorno, e nell'amara constatazione della perenne vitalità del capitalismo, il mondo borghese viene visto come il regno del Male, senza alcuna prospettiva di riscatto.

Ma, se ciò può aiutare a comprendere le radici di una lettura tendenziosamente attualizzante, è solo il testo che può dire l'ultima parola; e che cosa D'Annunzio intendesse con l'ambigua metafora del «gran demagogo» lo chiarifica secondo me definitivamente una pagina contemporanea di Prezzolini.

«La lima rodente della "lotta di classe" — egli sostiene nel 1904 — è [...] messa in opera nella propaganda, per seminare, sotto forma scientifica, quel malcontento delle classi lavoratrici che rende tanti soldi ai demagoghi [...]. Il proletariato, con la scusa di esser tolto allo sfruttamento dei borghesi, viene gettato sotto lo sfruttamento dei politicanti socialisti» (*Il Regno*, a cura di D. Castelnuovo Frigessi, 1977, pp. 487, 489).

La folla, sottolinea D'Annunzio proprio in *Maia*, non ha bisogno di demagoghi, ma invoca Eroi che sappiano disciplinarla ed educarla ai «miti novelli»; solo così la plebe sterile può trasformarsi in «stirpe dominatrice» e consacrarsi al compito di restituire «la più grande / cosa che mai videro gli occhi / del Sole: la Pace Romana» (*Maia*, vv. 7579-81). Come, dal suo pulpito nazionalista, ribadiva anche Corradini: «La Storia di Roma ci appare come il più solido e robusto dei poemi, composto dalla più sapiente e veggente delle volontà» (*La vita estetica*, 1903, in Corradini, 1980, p. 56).

Non ha senso rilevare altre concordanze: è chiaro fin d'ora che l'utopia di D'Annunzio, se di questo si vuol parlare, è quella di una società militarizzata e gerarchica, di impronta «guglielmina» (con annessa magari qualche legge speciale contro i socialisti) e il riscatto che egli offre alle plebi passa attraverso l'ordine e la disciplina imposti da una nuova oligarchia: una prospettiva già quasi totalitaria, in ogni caso dichiaratamente anti-democratica.

È a partire da questi presupposti che l'esteta pronuncia le sue terribili invettive contro una società nemica della Bellezza (e qui si rimanda alle acute osservazioni dello stesso Bàrberi Squarotti nel *Simbolo dell'Artifex*, 1973, in Bàrberi Squarotti, 1974), ed è solo in relazione a questo torbido sogno di palingenesi che egli è capace di cogliere l'abiezione delle metropoli industriali, la massificazione e l'alienazione dei loro squallidi opifici, il dramma di vite che si consumano all'ombra delle ciminiere, l'inerzia di esistenze monotone e spettrali; anche se è lecito chiedersi che cosa sarebbe rimasto del ciclo delle «città terribili» di *Maia*, perché è di questo che si parla, se D'Annunzio non avesse avuto sotto gli occhi le liriche di Verhaeren, dalle quali attinge, se non altro, fondamentali suggerimenti tematici. Proprio nelle raccolte delle *Campagne allucinate* (1893), e delle *Città tentacolari* (1895), stanno infatti i germi di molte celebrate invenzioni del XVI canto, e anche se la commossa e vibrante partecipazione umana di Verhaeren lascia il posto ad un dettato di livida e compiaciuta violenza espressionistica, qualche scintilla della loro generosa indignazione si può ritrovare anche nei versi dannunziani, in bilico tra i momenti opposti ma complementari (perché intrisi di vitalismo sensuale) dell'invettiva e del peana, del brivido di ribrezzo e dell'esaltazione per le energie latenti della metropoli. Il timbro di tutto il passo suona così anti-realistico ed enfatico, e non appena il poeta si abbandona alle proprie sensazioni subito dimentica gli uomini che gemono e soffrono nella città, troppo intento ad assaporare i suoni ed i colori della sua pagina gonfia e crepitante; come ha indicato giustamente la Scarano Lugnani, a proposito dell'intero poema: «il soggettivismo assoluto che lo informa, l'assunzione della realtà sotto la specie del mito energetico, l'esaltazione irrazionalistica dell'atto e della violenza fini a se stessi, la figura stessa del protagonista la cui missione sempre molto ambigua si risolve in ultima istanza nell'aspirazione ad un rinato paganesimo dionisiaco, sono tutti elementi che inficiano le ambizioni, pure presenti, di realismo» (1976, p. 58).

È questo il vero D'Annunzio, recuperabile alla nostra consapevolezza critica della storia e della società non perché ne anticipi in positivo le istanze, ma per l'oltranza con la quale mitizza l'orrore del suo tempo, la fedeltà di interprete delle più radicate nostalgie reazionarie: paradossale e negativa testimonialità che fa di lui «un sintomo vistoso ma non certo un luogo di reale approfondimento della coscienza del decadentismo europeo» (Jacomuzzi, *L'officina dannunziana*, in Jacomuzzi, 1974, p. 23).

Una verità da tener presente, a scanso di equivoci e malintesi.

L'impronta di D'Annunzio

In pagine di rivista del 1958 (poi più volte ripubblicate in volume) Luciano Anceschi, auspicando una ricognizione finalmente organica dei rapporti tra D'Annunzio e la moderna lirica italiana, tracciava una ipotesi di lavoro fortemente limitativa, e in questo senso emblematica della riduttiva cautela che ancora condizionava il discorso su D'Annunzio.

«Si può considerare dimostrato — egli esordiva — che un'influente linea della "lirica del Novecento" deve al Pascoli certe suggestioni di metodo, un impulso nuovo di tecnica del linguaggio poetico, certi modi di organizzazione verbale. Ma — concludeva — nulla del genere sembra poter essere affermato riguardo al D'Annunzio» (*Ipotesi di lavoro sui rapporti tra D'Annunzio e la lirica del Novecento*, 1958, «Convivium», poi in Anceschi, 1960, p. 131).

Giudizio cauto ma senza spiragli che sancisce l'inatteso trionfo postumo del poeta di Castelvecchio sull'eterno rivale: conclusione poco sensazionale, per la verità, perché alla fine degli anni Cinquanta erano in molti (Pasolini, Contini, ecc.) a giurare sul Pascoli, nella convinzione che la lirica moderna fosse nata lungo la linea Gozzano-Montale, all'ombra della pascoliana «poetica degli oggetti».

Così per esempio Sanguineti, portavoce di una generazione, sintetizzava il compito che avevano dovuto affrontare i poeti del Novecento per sottrarsi all'influenza di D'Annunzio: «ripetere [...] quello che fu, su scala maggiore, l'itinerario di Gozzano, e [...] ricorrere [...] a un Pascoli "rovesciato"» (*Da D'Annunzio a Montale*, 1958, in Sanguineti, 1977, p. 63).

Formula brillante che conseguiva d'un colpo solo almeno tre risultati: attribuire a Pascoli la maggiore paternità del Novecento lirico italiano, rivendicare alla linea crepuscolare e soprattutto a Gozzano quella carica di trasgressiva novità che molti le negavano, ribaltare neutralizzandole le osservazioni di Montale, acutissime, tempestive (1951) e più volte ribadite, sul percorso attraverso D'Annunzio che aveva faticosamente portato i lirici del Novecento sui loro nuovi territori poetici.

Il punto di partenza per scalzare questo giudizio è stato rappresentato da una serie di analisi degli anni Sessanta sui lirici delle avanguardie che hanno propiziato a fondamentali acquisizioni. L'ombra di D'Annunzio, rinnegata, esorcizzata, rimossa fa di nuovo capolino dietro a tante fisionomie anti-dannunziane, apparentemente insospettabili: certe esibite dichiarazioni di Campana, violentemente ostili al grande maestro di vitalismo sensuale, non bastano a cancellare o a nascondere (lo ha mostrato Galimberti, 1967) un rapporto tematico e stilematico di verificabile costanza. Presente e operante è l'impronta di D'Annunzio anche in Ungaretti, nei versi essenziali di *Allegria di naufragi* come pure nelle liriche di *Sentimento del tempo* (cfr. R. Spezzani, in *Ricerche sulla lingua poetica contemporanea*, 1966).

Di D'Annunzio e dei futuristi non vale quasi la pena di parlare, tanto evidenti sono le radici del loro esasperato vitalismo (sicché l'ostilità nei confronti del Vate si rivela, anche in questo caso, come una forma di odio filiale non superato); mentre per i crepuscolari, come per tutte le operazioni di attraversamento ironico, utilizzazione parodistica ecc. basterà ricordare che concorrenza e reazione sono in storia letteraria termini di parentela (non indicava forse Serra nella moda anti-dannunziana una nuova forma «di ossequio e di servitù» nei confronti del maestro? *Le lettere*, 1914, ora 1974, p. 379).

Sembra darne atto Guido Gozzano, in una deliziosa lettera, dove al ricordo di Gaspara Stampa, «vittima della maniera del suo tempo», confessa che «noi lo siamo del nostro, con gli imparaticci dannunziani»; salvo modificare poi subito la forma verbale in un meno vincolante «*lo fummo*» (G. Gozzano, *Lettere d'amore ad Amalia Guglielminetti*, 1951, p. 32; la lettera risale al 5 giugno 1907). Una frase che evidenzia, nel suo stesso andamento, le ambivalenze del «dannunzianesimo rovesciato».

Sarebbe inutile continuare riportando quella tavola di presenze che, fra tutti gli studiosi che vi si sono applicati, Aldo Rossi (1968) e Pier Vincenzo Mengaldo (1975) hanno saputo compilare con più ricchezza di riferimenti.

Garbato e sottile il primo, attento ai territori della prosa come della poesia, equilibrato e metodologicamente esemplare il secondo, al quale va il maggior merito di aver impostato lucidamente il problema.

Partito da una ricognizione montaliana (*Da D'Annunzio a Montale*, 1966, in Mengaldo, 1975) e riconosciuti negli *Ossi di seppia* i debiti più rilevanti nei confronti di D'Annunzio sul comune terreno d'incontro della «scoperta sensuale del mondo», allarga poi il discorso ad una riflessione generale sui caratteri del rapporto D'Annunzio-Novecento.

L'ampia schedatura, l'accuratezza dei riscontri, il controllo autocritico per non imporre «un nuovo schema totalitario» (speculare a quello che escludeva D'Annunzio dalla tradizione del Novecento) fanno delle ricerche di Mengaldo una pietra miliare: come poi ha dimostrato l'antologia *Poeti italiani del Novecento* (1978), dove il terreno d'incontro e lo spazio d'innovazione viene individuato autore per autore, consegnandoci un quadro ricco di dettagli.

Dissipati gli equivoci, è possibile oggi finalmente cogliere le tracce d'una presenza centrale ed attiva, garantita in termini storici dal fatto che «D'Annunzio occupa una posizione strategica nel quadro del Simbolismo internazionale: ha accettato con parsimonia i due presupposti fondamentali, l'oggettività del simbolo e l'evocatività dell'analogia, riattaccandola all'inesauribile patrimonio della mitologia greco-latina, della religiosità biblico-cristiana, dei fermenti putrescenti della *Décadence*» (A. Rossi, in «Paragone», n. 226, p. 90). Conclusioni con le quali conviene, con molta onestà intellettuale, anche Anceschi per il quale D'Annunzio è stato «il primo a parlare in modo sistematico di analogia come istituzione della poesia nel nostro paese [...]. In tal senso, e con questi limiti, egli appare veramente come il prologo a certi aspetti della lirica e della prosa "nuova"» (*D'Annunzio e il sistema dell'analogia*, 1973, in AA.VV., 1976).

L'arte di D'Annunzio come punto di riferimento inevitabile e fatale; e non solo per una generazione, ma operante addirittura in anni che vanno ben oltre il primo anteguerra: «Troppe sono le prove dirette ed indirette — specifica Mengaldo — di un rapporto privilegiato di lettura con Pascoli e D'Annunzio protrattosi nel tempo» (Mengaldo, 1978, p. xxxix), fino a Luzi, e siamo oltre gli anni Trenta; fino al Sanguineti del *Giuoco dell'oca* (1967, dove il rapporto con il *Notturno* è di consapevole provocazione, secondo Testaferrata che l'ha documentato in *Decadentismo e avanguardia*, 1967, ora Testaferrata, 1972).

Nella valutazione moderna, come si può notare, i due poeti rivali compaiono affiancati, e si tende ormai stabilmente a parlare di «una sorta di *koiné* pascoliano-dannunziana» (P.V. Mengaldo, *Aspetti e tendenze della lingua poetica italiana del Novecento*, 1970, in Mengaldo, 1975, p. 127) che fonda il Novecento e sollecita una gamma di reazioni tra i poli opposti dell'imitazione e della contestazione polemica.

Per concludere con Mengaldo: «due verità storiche [...] coesistono altrettanto evidenti, e istruttivamente contraddittorie: vale a dire che la lezione pascoliana e dannunziana fu, e restò a lungo, decisiva e condizionante, ma insieme che la nuova poesia contemporanea si costituì anche sulla base di un'opposizione magari dialettica, ma sempre netta nei confronti di quei predecessori, in cui il "superamento" presuppose sempre un confronto duro e diretto» (Mengaldo, 1978, pp. XXXVIII-XXXIX).

Se questo è il quadro, a grandi linee, dei rapporti di D'Annunzio con il Novecento, poco ancora si sa invece di quanto il Novecento abbia insegnato a D'Annunzio.

Quando nel 1915, sulla «Voce» (con una pagina perfettamente intonata: sobria, disinvolta, con qualche attacco burbero, ben calibrato), De Robertis lamenta le pose tribunizie di D'Annunzio, ritornato dall'esilio francese, ne parla come di un uomo finito, nei toni del necrologio; «Passò immutato traverso tutti i climi, città, stagioni. Senza realmente impegnarcisi mai. Nella sua lirica non c'è progresso né approfondimento. Forse affinamento che viene dal mestiere» (in *La cultura italiana attraverso le riviste*, «*La Voce*» *(1908-1914)*, a cura di A. Romanò, p. 557). Poi, nel 1921, improvviso e stupefacente, il *Notturno*, che avevano però lentamente preparato le pagine settimanali sul «Corriere», le *Faville*, la *Leda*.

Ma, intanto, i giovani, i vociani soprattutto, si erano provati, a ridosso della guerra, in saggi di prosa lirica, impressionistica, essenziale.

D'Annunzio, come al solito, ha fiutato l'aria, attento al nuovo clima e capace di distillarvi, a sessant'anni, i sapori più freschi. Si direbbe un'azione di retroguardia di chi aveva battuto, per decenni, sentieri sconosciuti.

In questa direzione manca ancora un convincente bilancio critico, oggettivamente fondato su riscontri e schedature: ma che la strada sia buona lo lasciano capire, oltre i pochi assaggi a disposizione, l'energia con la quale a metà degli anni Venti (cfr. Rossi, in «Paragone», n. 222, pp. 34-5 e Luti, *D'Annunzio notturno e l'avanguardia storica*, 1987) i futuristi rivendicarono in D'Annunzio un proprio convertito: una polemica che ha molto di strumentale e scandalistico (Marinetti ci sapeva fare!) ma dove comunque si individuano, fra tanto fumo, i termini inequivoci di un vero problema critico.

Ma l'impronta di D'Annunzio non va cercata soltanto tra i gioghi di Parnaso, anche se questa pare la specificazione istituzionale più tipica della critica letteraria, quanto piuttosto valutando la penetrazione sociale, in termini di gusto, atteggiamenti, linguaggio, ecc. del modello D'Annunzio, e la trasformazione di quel modello in relazione ad un mondo che cambia, scopre altre verità, sembra allontanarsi dal suo Vate, per ritrovarlo poi quando anch'egli si modifica per adeguarsi.

A fianco del D'Annunzio dei letterati, bisogna insomma cominciare a scoprire il dannunzianesimo di una società che si è collettivamente riconosciuta in lui (ma qui il discorso dovrebbe considerare le classi, i luoghi, i momenti), perché D'Annunzio ne traduceva i bisogni, ne interpretava le nevrosi e le velleità segrete.

È Giuseppe Petronio che ha tracciato una prima ipotesi di lavoro per ricerche tutte da svolgere, in uno spunto del 1977 ripreso poi diffusamente qualche anno più tardi (*Appunti per una biografia sociale*, in AA.VV., 1979).

Viene così circoscritta una prima fase di «dannunzianesimo estetizzante, alto-borghese, proprio degli anni Novanta e degli inizi del secolo, e [...] superomistico, tipico degli anni fino alla prima guerra mondiale» (Petronio, 1977, p. 64), fenomeno sostanzialmente d'*élite*, sia sul versante dell'attivismo pieno di ambizioni dei nazionalisti («Hermes» e il «Regno» sono tutte infarcite di formule dannunziane), che nella sua declinazione più garbata di codice della gioventù colta: sono gli anni nei quali Amalia Guglielminetti (e come lei tanti rampolli della buona borghesia) scriveva lettere illanguidite da accenti paradisiaci, «Avrei nascosto il volto tra le palme perché Voi non mi sentiste piangere di rammarico, d'un rammarico triste e dolce insieme; o forse avrei pianto nelle vostre stesse mani per farmele tornare fraterne» (lettera a Gozzano, 14 novembre 1907, in Gozzano, 1951, pp. 65-6); e Slataper, in una novelletta sapida di umori anti-cittadini, descriveva l'eccitazione del «Borghesone» alla notizia di una recitazione di *Fedra*: «Domani danno la *Fedra* di D'Annunzio — la *Fedra*! perbacco. Erano tutti tanto ammiratori del poeta che partirono in quattro e

quattr'otto, appena arrivarono con grandi sforzi le auto-
mobili richiamate» (*Ventiquattro ore di città in campagna*,
in «La Riviera ligure», 1910, ora Slataper, 1956, p. 62).
  Poi, continua Petronio,

proprio nel momento in cui le nuove generazioni letterarie si
allontanano da lui, proprio quando i critici nuovi cominciano a
prendere le distanze dalla sua opera, lo scopre il gran pubblico,
quello dei piccoli e infimi borghesi, che egli disprezza con tutta
l'anima, ma del quale pure ha sempre ambito il consenso. I poeti
nuovi non vogliono più saperne di lui, ma Luciano Zuccoli e
Guido da Verona, cioè i narratori di consumo delle masse borghesi si ispirano a lui e lo rifanno per i lettori di bocca buona
[...]. E scoppia intanto — lo analizzerà presto Borgese — il fenomeno del «dannunzianesimo»: un fatto di vita e di costume
più che di letteratura; un fenomeno che coinvolgerà la letteratura di consumo e il cinema [...], il medio e il piccolo-borghese,
e avvilirà in imitazioni pacchiane, in paccottiglia da grandi ma-
gazzini lo stile di vita e la morale del «superuomo». (Petronio,
1979, in AA.VV., 1979, pp. 33-4).

  Un fenomeno di penetrazione dall'alto verso il basso e
di diffusione, in termini di gusto, moda, atteggiamenti,
dalla letteratura al costume, del quale Antonio Piromalli
ha acutamente puntualizzato, sul versante della narrativa
di consumo, alcuni aspetti di fondo (cfr., per esempio, Piromalli, *Guido da Verona*, e Id., *Amalia Guglielminetti*,
ora 1979); un fenomeno che, per di più, continua anche
nel dopoguerra, e si allarga in direzione retorico-politica,
quando il dannunzianesimo sembra capace di fornire un
repertorio di parole d'ordine e trascinanti coreografie al
nascente regime di massa. Del fascismo D'Annunzio
aveva infatti anticipato, con soluzioni di perfetta funzio-
nalità sperimentate nel teatro e nell'oratoria interventista
e fiumana, le strategie di coercizione emotiva, le modalità
di un rapporto irrazionale e mistico, mentre rimane ge-
rarchico e unidirezionale, del Capo con le masse.
  Sostiene George L. Mosse (*Il poeta e il potere politico*,
in Mosse, 1982) che «D'Annunzio [...] favorì davvero il
nuovo stile politico durante i sedici mesi in cui governò la
città di Fiume [...]; e in effetti fu proprio da questo epi-

sodio che Mussolini derivò lo stile politico del fascismo italiano» (p. 99): una drammatizzazione della politica, articolata per sequenze cerimoniali (discorsi dal balcone, offerta della bandiera, celebrazione ufficiale dei martiri, colloquio con le masse, ecc.) il cui valore simbolico era quello di trasformare la folla, domandone le potenzialità rivoluzionarie, in «una massa ordinata di popolo» (p. 104).

La narrativa

La consapevolezza di dover affrontare lo studio dell'opera di D'Annunzio considerandone unitariamente le forme e i momenti, forse uno degli acquisti fondamentali della critica recente, ha richiamato l'attenzione su fasi della vita e aspetti dell'attività letteraria che fino a pochi decenni fa erano rimasti sostanzialmente in ombra.

Si ponevano così le premesse per superare il disinteresse se non la diffidenza nei confronti del romanzo, che aveva contrassegnato il dibattito critico fin quasi dagli inizi.

Un caso a parte quello del *Piacere* che, però, conferma più che infirmare la tendenza generale: citato da tutti (in qualche caso — Gargiulo, Binni — non solo per semplice dovere di cronaca), finiva per rappresentare, guardato da vicino, una ulteriore dimostrazione della presunta incapacità narrativa di D'Annunzio; finché nel 1960 Giorgio Petrocchi, a conclusione di una lettura impostata ancora tradizionalmente, dava la formula che avrebbe aperto nuovi orizzonti: il *Piacere*, egli diceva, «in sul nascere dell'attività romanzesca vera e propria, disgregava le forme narrative dell'unitaria tradizione ottocentesca» (*D'Annunzio e la tecnica del «Piacere»*, 1960, in Petrocchi, p. 101).

Una indicazione importante, pur nella sua brevità, perché individua con sicurezza lo sfondo ideologico-culturale della narrativa dannunziana nella crisi della tradizione dell'Ottocento, e del naturalismo-verismo in particolare, come avrebbero ribadito Guglielminetti e Ricciardi, specificando il carattere e i limiti dell'operazione innovativa.

Negli anni seguenti, accanto ai critici del gruppo torinese, si sarebbero occupati della narrativa, consapevoli della sua ricchezza documentaria e testimoniale, anche studiosi di provenienza diversa, interpreti magari di metodologie più tradizionali o intenti a indagini solo settoriali, ma sovente capaci di offrire campioni di lettura fondamentali per la collocazione storico-culturale della produzione romanzesca.

Lo scopo, in questo caso, era individuare le radici, le tappe di crescita, i compromessi e le semplificazioni della multiforme cultura dannunziana, leggendone le tracce nella stratigrafia dei romanzi; oppure si trattava di accompagnare nelle sue più esplicite fasi di maturazione il più fortunato dei miti dannunziani, il superuomo.

Il tracciato evolutivo dell'esperienza narrativa è venuto così lentamente completandosi e ha riconfermato il valore e la centralità storica della vicenda letteraria di Gabriele D'Annunzio.

Dopo una prima fase ancora influenzata dalla temperie naturalista e verista, D'Annunzio conquista nuovi orizzonti tematici ed espressivi sul modello del romanzo psicologico e delle opere a tesi di Péladan, Bourget, ecc., che esprimevano da posizioni conservatrici una critica alla società francese conquistata dalla religione del progresso.

A questo influsso è certamente da attribuirsi l'esilissima intenzione pedagogica dei romanzi della Rosa: valga l'esempio del *Piacere*, nato con l'intento di studiare «non senza tristezza, tanta corruzione e tanta depravazione e tante sottilità e falsità e crudeltà vane» (*Lettera dedicatoria a F.P. Michetti*, *Il Piacere*, p. VIII).

Un proposito del quale fa giustizia la partecipazione, si direbbe affettuosa, con la quale è stato modellato Andrea Sperelli.

E dai critici, come dai profeti (Huysmans) della decadenza, D'Annunzio ricava la traccia di protagonisti lucidi e impotenti osservatori di se stessi, compiaciute vittime del pessimismo di moda (cfr. Jonard, 1982): un profilo poi semplificato in personaggi meno ossessionati da tormenti autoanalitici e più ricchi invece di aspirazioni demiurgiche, Claudio Cantelmo, Stelio Effrena, ecc.

Pietra di volta della stupefacente metamorfosi, che coinvolge il personaggio ma anche l'universo in cui si muove, *Il trionfo della morte*, il romanzo della scoperta di Nietzsche, della ricerca di un rapporto positivo con la stirpe, di un'esperienza di scrittura per più aspetti «wagneriana»: «prosa plastica e sinfonica, ricca d'immagini e di musiche», avrebbe dichiarato D'Annunzio nella epistola dedicatoria (*Il trionfo della morte*, p. xv).

Un'opera densa di scorie e di premonizioni, la cui labirintica complessità è stata felicemente messa in luce dalle capillari esplorazioni del congresso dannunziano del 1983.

Una svolta di diverso carattere, sul piano della sintassi e dei moduli narrativi questa volta, nelle *Vergini delle rocce*, dove tende ad imporsi, a quanto testimonia Cantelmo, il bisogno di «fermare la teoria delle idee e delle immagini in una concreta forma oratoria o lirica, quasi a riguardo d'un immaginario uditore» (*Le vergini delle rocce*, p. 48): proposito, inutile aggiungere, pienamente realizzato.

Fino ad arrivare, dopo un silenzio del romanziere durato quasi dieci anni, al *Forse che sì forse che no*, che lascia intravedere, secondo la lettura del Ricciardi, una nuova e inedita «specificazione dei generi», nella «scissione definitiva di una prosa di memoria e di orazione» (Ricciardi, 1970, p. 300); e siamo ormai al dettato paratattico e analogico dell'«esplorazione d'ombra».

Ma ai margini di questo indirizzo di ricerca si individua un'area eterogenea di interventi a ricetta fortemente originale: e, in quanto tali, difficilmente definibili con una formula sintetica, se non si voglia azzardare quella generica e per più versi sfuggente di psico-critica. Sondaggi di forte caratura interdisciplinare perché si avvalgono, spesso con intelligente senso dei limiti, oltre che degli apporti della psicanalisi in tutte le sue declinazioni, dei suggerimenti della semiologia, della interpretazione antropologica dei miti, ecc.

Vale la pena soffermarsi su questo orientamento, con attenzione volta magari piuttosto ai risultati interpretativi che ai presupposti teorici, almeno per due buone ragioni: in un primo luogo perché documenta un indirizzo per così dire «fuori schema» nel campo della critica dannunziana, ultimo arrivato ma già sicuro dei suoi mezzi: in secondo luogo perché contribuisce a spiegare il carattere fortemente simbolico e ripetitivo di situazioni e personaggi della narrativa e del teatro (quasi fissazioni dell'Io profondo), sviluppando spunti interpretativi presenti da sempre ma mai adeguatamente esplicitati.

La via d'accesso al mondo interiore di D'Annunzio viene individuata soprattutto in due direzioni: attraverso il personaggio romanzesco, inteso come maschera e specchio dell'autore e, con operazione parallela, nel deposito metaforico e nelle invenzioni narrative dei romanzi. Si schiude così un universo magmatico, denso di simbologie ricorrenti, dalle forti risonanze fantasmatiche: una vera e propria galleria di «miti personali», per usare la nota definizione di Charles Mauron.

Ma vediamo con ordine a partire dal personaggio, le cui costanti psicologiche consisterebbero in «sradicamento, carenza di identità, regressività» (Roda, 1978, p. 2): un vero e proprio scandaglio dell'autore, suggerisce Vittorio Roda, dal momento che «la ricerca artistica di D'Annunzio è conveniente e anzi si compenetra e si confonde con le ragioni della *recherche* esistenziale, partecipandone l'esigenza di riconquista del sé primordiale uno con le cose» (p. 102). Un'ipotesi che correrebbe il rischio di apparire deterministica e mono-causale se Roda non avesse la precauzione di spiegare che le virtualità psichiche di D'Annunzio, all'origine dei suoi alter-ego narrativi, ricevono «dal contatto e attrito con determinati ambienti sociali e ordinamenti dello spirito pubblico, un importante contributo al proprio formarsi e maturare, in un dialettico interferire di fattori subiettivi e storico-sociali che non è facile ed è forse inane tentar di discriminare» (p. 93).

Una precisazione sulla quale vale la pena di riflettere, dal momento che molto spesso le interpretazioni di tipo psicanalitico conducono a ipotesi drasticamente riduzionistiche; si concludono, in altre parole, là dove dovrebbero invece cominciare, nella individuazione del nucleo conflittuale originario, lasciando in ombra le caratteristiche individuali di ideologia, stile, ecc.

Il rapporto privilegiato tra creatore e creatura, che tende a istituirsi fin dal *Piacere* è d'altra parte facilitato dal carattere stesso dell'estetismo dannunziano, che teorizza e pratica l'interscambio incessante di arte e vita: se questa deve confermarsi all'arte per sottrarsi alla caducità e all'insignificanza di tutto ciò che è storico, che esiste nel tempo, l'arte da parte sua deve irrompere nella vita, attrarla a sé cristallizzandone il fluire in una definitiva e immutabile perfezione di forme. Si individua così uno dei dati di fondo della sensibilità dannunziana, che trova schermo tra i cimeli della tradizione alla paura del mutamento, all'angoscia del futuro.

Eppure del latente germe nihilistico, del rifiutato ma insinuante retroterra tragico rimangono non poche tracce: se è vero, come ha sostenuto Ricciardi, che i personaggi dannunziani tendono prevalentemente a rimuovere ogni pericolo di scacco esistenziale, a escludere ogni livello di verifica, è anche vero che i «segni della morte», come li definisce Luigi Scorrano in un saggio sul *Fuoco* (1977), contornano di un cupo alone tutti i trionfi dell'eroe.

Un contrappunto così ossessivo, nel romanzo che tiene a battesimo il superuomo-artista, da far concludere che «il vitalismo di Stelio Effrena, come per troppi aspetti quello del D'Annunzio stesso, è un vitalismo che non nasce dal senso di pienezza della vita quanto dal terrore del vuoto della morte. Sorge e si sviluppa sotto un segno d'ombra, quell'ombra da cui pullulano le immagini mortuarie del romanzo. E sarà ombra che accompagnerà con modi diversi, la vita e la produzione del poeta» (Scorrano, 1977, p. 101).

Dietro il personaggio, come dietro l'uomo, si rileva insomma una profonda insicurezza, che minaccia costantemente di tradursi in situazioni di crisi e in simboli di fallimento: sta qui forse una ragione di quel radicamento ossessivo alla «verità» del corpo, quel bisogno spasmodico di un rapporto totale, immedesimativo, con le cose, nel quale la lettura a mezza strada tra psicanalisi ed ermeneutica di Niva Lorenzini (1984) indica, in chiave di psicologia del profondo, la sostanza della sempre ribadita «sensualità» dannunziana.

Sono spunti, come si vede, di interesse non marginale, perché contribuiscono a chiarire alcuni moventi psicologici di una vicenda letteraria e umana raramente rettilinea e trasparente.

Basterà un ultimo esempio, in relazione alla scoperta dannunziana di un ritmo narrativo nuovo, oratorio e poi monologante: alla luce delle riflessioni della psico-critica il processo di dissoluzione delle forme narrative tradizionali rivela un legame intimo e non razionalizzato con le inclinazioni dell'Io profondo, a monte di ogni lucida consapevolezza progettuale.

In altre parole e più chiaramente, il bisogno ancora ottocentesco di narrare, di significare in modo globale ed esaustivo affrontando la totalità dei fenomeni e oggettivandosi in essi, ma senza poter sfuggire ai limiti e ai condizionamenti di una personalità egotistica e narcisistica, «al centro di un cosmo», ha detto benissimo Ezio Raimondi, «dove non esiste altro vero che quello dell'io, oggetto e soggetto dell'odissea dello spirito» (*Dal simbolo al segno*, 1975, ora Raimondi, 1980, p. 146), pone le condizioni di un dissidio di lentissima risoluzione tra l'irrefrenabile vocazione autobiografica e scelte narrative di impraticabili ambizioni realistiche.

È qui che hanno radice, quasi per intrinseca necessità, quelle soluzioni eversive nei confronti delle consuetudini della narrativa dell'Ottocento evidenti fin dal *Piacere*: i personaggi vengono fagocitati e diventano mere funzioni dell'Io, le gradazioni di stile si appiattiscono in una uniforme misura sublime, il registro più consono al virtuosismo esibizionistico dell'autore, gli splendidi scorci paesistici nascono come «stati d'anima» del narratore, tanto raffinato quanto invadente. Se Flaubert poteva dire «Madame Bovary, c'est moi!», ed essere tuttavia capace di animare il piccolo mondo della borghesia di provincia, D'Annunzio — di volta in volta Sperelli, Aurispa, Effrena, Tarsis — lascia sopravvivere intorno a sé solo pallide ombre senza carne né sangue, salvo forse a tratti l'antagonista femminile, che riflette la personalità e i moventi del superuomo cui soccombe.

La contraddizione viene superata, dopo decenni di esperienze e faticoso ricercare, solo nell'arte nuova dell'uomo maturo, quando D'Annunzio, finalmente tema di se stesso, riconosce e accetta la natura narcisistica della sua vocazione. Cade allora l'esile e solo tecnico diaframma che aveva tenute separate, per tutta la stagione del romanzo, le facce speculari del narratore e del protagonista, e la nuova Musa, senza più infingimenti, consacra infine il tema della memoria e dell'introspezione.

L'indagine sull'uomo, condotta attraverso i personaggi e le loro peripezie, ha anche contribuito alla chiarificazione di alcuni aspetti rilevanti della finzione narrativa: il peso crescente, per esempio, che assume in tutti i generi l'immaginario mitico, come se il mondo disarticolato e caotico dei fenomeni non potesse trovare che al di fuori, in ciò che la tradizione ha sancito, una ragione di organicità e coerenza.

L'ultimo romanzo, lo ha dimostrato Emerico Giachery con una feconda lettura interdisciplinare, è ormai del tutto riconducibile all'universo mitico:

Come nel *Fuoco* il mito è rivissuto nella materia romanzesca [e in parte autobiografica] tratta dal mondo contemporaneo [...]. Come in *Fedra* il mito è al centro dell'opera [...]. Al fondamentale motivo dell'ambiguità, che è poi il meandro perditore della sensualità e del voluttuoso eterno femminino dannunziano, si contrappone già alla prima battuta [...] il controtema [...] dell'eroismo (*Variazioni su un tema dannunziano: il Labirinto*, 1964, poi Giachery, 1968, pp. 244, 245, 246).

Forse che sì forse che no si rivela così l'epopea icaria dell'eroe ulisside consacrato alla vittoria, che celebra il suo trionfo sul labirinto e sulla cupa signora dell'abisso, quell'Isabella Inghirami che ha cercato di paralizzarne le forze nella vertigine dei sensi:

> Quando le loro pupille si incontravano egli scopriva tra i cigli di lei uno sguardo ben più remoto dello sguardo umano, che sembrava espresso dalla terribilità di un istinto più antico degli astri. Allora quella carne frale assumeva una grandezza insormontabile, gli appariva come un confine alla vita, gli limitava il destino come un monte limita un regno (*Forse che sì forse che no*, p. 331).

Sullo sfondo del mito il mondo concreto degli uomini si semplifica nella perfetta decifrabilità di un modello esemplare e la narrativa rinuncia ad ogni sforzo di interpretazione della realtà, si limita a ricomporne i frammenti in un discorso familiare; evidenti le radici psicologiche dell'operazione: «un bisogno di sicurezza e di stabilità nei confronti di una realtà sfuggente e inafferrabile», commenta Giachery (p. 200). Ma la spiegazione sarebbe insufficiente se non si sottolineasse la fitta dialettica di concause; il mito permette a D'Annunzio (e alla cultura di matrice irrazionalistica del primo Novecento) di acquisire a una visione conservatrice il tema del progresso tecnico e industriale, sciogliendo l'equazione crescita economica-democratizzazione della società, cara a molti teorici e scrittori del positivismo-naturalismo: l'arte intona così l'anti-illuministica apologia di una società di classe, che il mito dell'«eterno ritorno» sottrae al vaglio dell'analisi razionale.

D'altra parte la riattualizzazione di un codice di vago sapore aristocratico e sacrale (un recupero però tutto formale ed erudito) dà pieno avallo all'ambizione di un ruolo privilegiato per quegli intellettuali che si sono autonominati custodi della tradizione.

I nodi, come si vede, sono complessi, e non basta una sola operazione per scioglierli.

Forse che sì forse che no può offrire lo spunto a un'ultima riflessione: il romanzo si chiude con una soluzione di carattere dichiaratamente esorcistico, come se la condizione della trasfigurazione eroica fosse l'annientamento di Isabella (nel quale è descritta la follia di una delle donne amate da D'Annunzio, Giuseppina Mancini), «*alma mater* dannunzianamente intesa quale negativa tensione di madre-amante a vincolare l'uomo all'inferno della terra, del presente» (R. Tessari, *Elevazione della macchina a mito «ellenico» nell'epopea dannunziana del superuomo aristocratico*, in Tessari, 1973, p. 194).

Si constata così di nuovo, e in maniera palmare, la centralità e la ricorsività del motivo erotico nella narrativa (e nell'opera in genere) di D'Annunzio, una presenza tanto ossessiva e ambigua da dar ragione a Floriano Romboli (1986), per il quale l'elemento di continuità della ricerca romanzesca risiederebbe nell'incapacità di risolvere il nucleo erotico-istintuale costantemente tematizzato, vissuto come trasgressivo nei confronti della norma etica tradizionale.

Una tesi che era già stata adombrata da Jacques Goudet (1976) in un libro ricco di osservazioni acute ma che risente dello sforzo di leggere i testi come la cronaca di una maturazione psicologico-esistenziale, trascurandone gli specifici caratteri stilistico-strutturali. D'Annunzio, osserva il critico, «è ossessionato dall'incesto [...]. Progressivamente si passa dalle sororali amanti (*Il Piacere*), alla sposa-sorella (*L'innocente*) alle sorelle confidenti (*Il trionfo della morte*) e finalmente all'incesto mitico [...]. L'incesto compiuto si trova, nella produzione romanzesca, soltanto in *Forse che sì forse che no*» (pp. 45-6).

D'altra parte basta allargare un poco l'orizzonte di ricerca per rendersi conto che in D'Annunzio riaffiorano i temi di un complesso e non ancora del tutto chiarito (almeno per quanto riguarda la critica italiana) immaginario collettivo, segnato in profondità dai fantasmi del mondo patriarcale e rurale, di un cattolicesimo superstizioso e sessuofobico. E qui ci vengono in aiuto, più ancora del solito M. Praz (cfr. Praz, 1930, poi più volte ristampato), esempio quasi unico di una linea di ricerca rimasta senza eredi, quegli studiosi, soprattutto stranieri (H. Hinterhäuser, 1977; J. Pierrot, 1977, ecc.), che si sono occupati con profitto delle ossessioni e dei fantasmi dell'anima decadente, conquistati dal fascino di una stagione letteraria che lascia emergere, esaspera e consuma, sullo sfondo di rapidi processi di trasformazione e in una temperie spirituale di incertezza e ripiegamento, il patrimonio di simboli e di temi dell'Europa romantica.

Così, anche rispetto alla «faccia interiore» (C. Gustav Jung) del mondo, all'universo delle immagini fantastiche di un inconscio collettivo che si colloca alle soglie del razionalismo della coscienza, l'opera di D'Annunzio guadagna un carattere paradigmatico, confermando il giudizio di Praz che vi ha visto una «monumentale enciclopedia del decadentismo europeo» (Praz, 1930, ma cito dall'ed. 1966, p. 379), una sorta di museo dove sono cristallizzati e raccolti gli emblemi di tutta un'epoca.

Il teatro

Anche per il teatro vale, nelle linee generali, il discorso già fatto per la narrativa: ultimo tra i settori dell'operosità dannunziana ad aver attirato l'attenzione della critica, è stato in un primo tempo oggetto di interventi episodici, e solo in anni recenti di un impegno più meditato che ha finalmente condotto a qualche tentativo di sintesi.

La pietra miliare dell'archeologia critica è in questo caso rappresentata dal saggio di Luigi Russo (*Il teatro dannunziano e la politica*, 1938, ora Russo, 1960) che considerava «tipicamente letteraria ed estetico-politica» (p. 435) la genesi dell'esperienza drammaturgica. Scaturita, insomma, sullo sfondo del «bisogno polemico di reagire a quel realismo provinciale che trionfava nelle novelle e nei drammi» (p. 436) del crepuscolo del positivismo, dalla «volontà di un verbo politico da diffondere» (p. 436) attraverso «la lotta e il colloquio con quella folla che sarà, fino alla vigilia della morte, l'idolo flagellato e amato dallo scrittore» (p. 439). Controprova ne è il fatto che l'esperimento di «estetismo per le moltitudini frenetiche» (p. 440) si conclude quando «il drammaturgo trova [...] sfogo nell'oratore delle piazze e dei campi di battaglia» (p. 465).

Nel saggio di Russo, il disagio nei confronti di un «teatro di profezia, di educazione e di corruzione, di flagellazione lussuriosa e di esortazione politica» (p. 441) di chi vedeva realizzarsi nella storia la cupa utopia di una stirpe protesa a un sogno tragico di potenza, viene bilanciato dalla comprensione che si tratta nonostante tutto di un «teatro interessantissimo per la storia del nostro costume estetico-politico»: le sue scenografie eroiche, i suoi fondali storici e mitici hanno rappresentato, spiega il critico, un fondamentale canale di diffusione del superomismo e delle tendenze nazionalistiche, evocando, per un pubblico lusingato nei pregiudizi di classe, il miraggio della missione nazionale e imperiale della borghesia italiana.

Un'ottica interpretativa che la critica d'oggi tende a trascurare e sulla quale invece richiama l'attenzione Scrivano nella sua recente lettura della *Gloria* (cfr. Scrivano, 1976). Per salvare almeno in parte l'esperienza del teatro, Russo distingue due momenti, o meglio, due linee di tendenza, quella estetico-politica e quella estetico-paesistica. Inutile dire che la predilezione del critico, coerentemente con il gusto di una generazione che aveva trovato in *Alcyone* il suo libro d'ore, va tutta alla seconda maniera, realizzatasi al meglio nella *Figlia di Iorio*, dove a tratti balena «la voce ebbra e musicale della poesia, quelle volte che il poeta sa abbandonarsi alle melodie del paesaggio, la sua musa più vera, più genuina e più tenace» (p. 441).

Si arriva così finalmente all'opera che, al pari del *Piacere* in campo narrativo (ma con una disponibilità molto meno condizionata), ha saputo attirarsi interesse e consensi, e sulla quale oggi, in anni segnati dalla riscoperta di *Alcyone*, si concentra di nuovo l'attenzione della critica.

Un fenomeno di gusto, in fondo in fondo ambiguo perché troppo legato a istanze di impressionismo, che non ha però impedito che la «tragedia pastorale», considerata il vertice con *Città morta* dell'arte drammaturgica di D'Annunzio, venisse sempre meglio illustrata nella pluralità delle sue suggestioni culturali, psicologiche, antropologiche, mitiche (come ha saputo fare, per esempio, il convegno monografico del 1985; cfr. AA.VV., 1986).

Mi sono fermato forse troppo su Russo, ma c'era una ragione: nel momento stesso di impostare il problema, e di svolgerne le premesse in termini congeniali al suo non astratto storicismo, il critico siciliano lo risolveva, con una mossa degna di Croce, dimostrandone l'inesistenza: «il dramma come dramma, nella sua idealità platonica, era estraneo al temperamento egoisticamente lirico dell'autore» (p. 435). Conclusione che è parsa convincente, se solo negli anni Settanta si riprenderà a parlare del teatro di D'Annunzio.

Come è logico, una rivalutazione così recente e ancora marginale agli interessi della critica più agguerrita, ha impedito che il discorso sul teatro diventasse terreno di confronti di vasta portata, lasciando invece prevalere un'ottica cauta, ma non modesta, di scavo settoriale.

Innanzitutto si è cercato di inquadrare lo sfondo culturale e di distinguere i «succhi» di questo teatro: il wagnerismo, in primo luogo, che il *Fuoco*, magari sotto pretesto di una polemica a favore dell'arte latina, esibisce insistentemente: Giovanni Destri (1970) si è così sforzato, anche con troppo entusiasmo, di confutare l'accusa di dilettantismo che pesava su D'Annunzio, mostrando i legami della sua estetica tragica con l'idea di «opera d'arte totale» (*Gesamtkunstwerk*) e con la tragedia classica.

In secondo luogo si è sottolineato l'influsso simbolistico, evidente soprattutto nelle primissime opere e poi attenuato (ma non cancellato) quando D'Annunzio, per non collidere con le consuetudini del pubblico italiano, recupera progressivamente le ragioni della verosimiglianza: le marcate spinte anti-naturalistiche degli esordi (evidenti nei due *Sogni*, per esempio) «non troveranno [così] il loro giusto sbocco in un teatro simbolico e poi epico [ma] finiranno invece per sortire prima in un tentativo tutto intellettualistico di riesumazione della tragedia classica e poi nel dramma celebrativo in versi» (Guidotti, 1978, p. 31).

Un tema caro soprattutto a Ruggero Jacobbi (cfr. Jacobbi, 1978 e 1980), che ha messo in rilievo il carattere misto degli spunti simbolistici del teatro dannunziano: di ricordo maeterlinckiano, da un lato, in atmosfere dense di echi e di penombre, di insinuante anche se spesso irrisolta carica evocativa, ora invece orchestrati, sull'esempio di Ibsen, a far percepire dietro i personaggi-simbolo la presenza dei grandi conflitti ideali dell'anima moderna.

Un teatro, insomma, dalla fisionomia complessa e contraddittoria, che si colloca, con tutte le sue incertezze e premonizioni, nel momento del crepuscolo italiano ed europeo del dramma naturalistico.

Se non è stato difficile illustrare il suo sfondo culturale, almeno per quanto riguarda gli aspetti più significativi, più complesso e controverso è apparso invece il compito di individuare i caratteri permanenti e le ragioni di continuità di una produzione drammaturgica apparentemente collocata sotto il segno del più disponibile sperimentalismo.

C'è chi ha creduto, e non senza buoni motivi, di poter parlare di una struttura profonda caratterizzata da un andamento circolare che permette, attraverso l'eliminazione del personaggio-intruso, di ricostruire l'ordine mitico-sacrale di partenza. Una interpretazione che viene avvalorata dal carattere rituale e simbolico delle uccisioni di Angizia, Ismera, Mila, Basiliola, Pisanella, ecc., che rendono possibile «ripristinare la condizione primordiale, correggendo la corruzione della storia dell'intatta sacralità dell'archetipo» (Roda, 1978, p. 236).

Diversa, continua il critico, la dinamica di *Più che l'amore*, dove lo scioglimento è nihilistico, e dalla *Gloria*, dove è Ruggero Flamma a essere sconfitto dall'intruso, Elena Commena. «Due dunque, l'una più, l'altra meno rappresentata, le possibili soluzioni: il pacifico rappicco all'antefatto e l'interruzione traumatica, la continuità circolare di un'azione ritornante con se stessa, e il blocco dell'azione, impedita di proseguire vuoi circolarmente vuoi linearmente» (ivi, p. 239).

Nell'uno e nell'altro caso si è di fronte a un azzeramento della storia, perché ciò che viene negato è fondamentalmente «il progredire dell'eroe, la sua graduale acquisizione di esperienze, conquista d'obiettivi interiori o pratici, fondazione di valori, non importa se destinati a essere travolti e a travolgere con sé il loro portatore: od il preesistente od il nulla» (ivi).

Per Emilio Mariano invece, che fa tesoro di una indicazione dello stesso D'Annunzio, vale lo schema bipolare: teatro del «messaggio» e teatro del «rito», una suddivisione che non va però intesa in senso rigidamente categoriale, perché è sfumata da più gradi intermedi come dimostrerebbero opere di carattere «misto» quali *La città morta, La Gioconda, La nave, Il ferro*.

«Per "messaggio" — spiega il critico — intendo la comunicazione alla massa di valori che portano a elevare le ragioni del vivere, e l'assoluto prevalere che assume la necessità di una simile comunicazione. Siamo nell'area tipica dell'arte "impegnata"» (Mariano, 1978, p. 14) e sembrano confermarlo *La Gloria* e *Più che l'amore*. «Per "rito"» invece «la rappresentazione in se stessa dei "miti" naturali oppure miti come che siano al di fuori e al di sopra dell'uomo, senza che la necessità della "comunicazione" prevalga sulla interiore necessità di rappresentare» (ivi, p. 14); e in questo gruppo si collocano *Francesca da Rimini, La figlia di Iorio, La fiaccola sotto il moggio, Fedra*.

Il teatro del "messaggio", continua Mariano, «agisce nella categoria "Storia"» (p. 16) e il suo protagonista è un ulisside proiettato verso il futuro. «Le situazioni drammatiche nella serie del teatro "rito", acquistano invece spazi nuovi che rendono probabile il gesto» (ivi): il loro orizzonte è il Sacro e la Natura. In questi drammi il protagonista (in parte autobiografico come l'altro) «non riesce ad assurgere fino al ruolo dell'eroe perché ha paura della Storia e della improbabilità del gesto tragico» (p. 21).

Per concludere, afferma Mariano, «il teatro ci documenta che nel D'Annunzio convivono l'uomo moderno e l'uomo arcaico: l'uomo arcaico che nella ripetizione del gesto archetipico risolve la paura temporale collocando tutti i suoi valori (la cuna di rovere e il suolo natale) nel cerchio dell' "eterno ritorno" e l'uomo moderno che agisce nella linearità e nella irreversibilità temporale ma in una situazione di fondo dove è riconoscibile la mitica paura» (ivi, p. 23).

Sono schemi, arricchiti da proposte metodologiche della psico-critica, della semiologia, dell'antropologia, ecc. (ed è per mostrare questi snodi che ho citato così diffusamente!), certo capaci di avvicinarci in modo più consapevole al teatro ma che non ne esauriscono, forse proprio per il loro elevato grado di categorizzazione, tutti i fenomeni.

Resta valida a mio avviso l'indicazione di Mario Baratto (nelle conclusioni del Convegno *Il teatro di D'Annunzio oggi*, Baratto, 1980) che coglie nel teatro dannunziano «un campo di tensioni non tutte controllate», soprattutto per il fatto che D'Annunzio ha espresso in pieno le contraddizioni «di un certo tipo d'intellettuale italiano [...] legato alle radici della terra, ad alcune tradizioni profonde, alcune ossessioni anche di incubi ancestrali, alcune tradizioni nello stesso tempo apertissime all'Europa, alle esperienze più raffinate, moderne e contemporanee» (p. 152). E, dal momento che «non controlla tutto il proprio materiale [...], la cultura europea, i moti, gli istinti, gli impulsi ancestrali, la sensibilità nuova e i sensi di colpa interagiscono e trovano appunto provvisorio fondamento, una possibilità di esprimersi nel linguaggio tradizionale italiano, rivissuto, rielaborato, ricantato, appoggiato a quell'istituto della citazione che è fondamentale non solo nella drammaturgia ma in tutta l'opera spesso lirica di D'Annunzio» (ivi).

A queste considerazioni va aggiunta la difficoltà, che D'Annunzio supera solo lentamente, di padroneggiare i codici espressivi del genere drammaturgico, armonizzando i diversi livelli di scrittura. Ne risulta un teatro di forti squilibri interni, lacerato tra vocazione lirica e gusto degli effetti grevi e plateali, stilizzazione e verosimiglianza (con i corollari di una fruizione intellettuale e, all'opposto, immedesimativa), tematizzazione di conflitti elementari e rovelli cerebralistici; un teatro ora colloquiale ora istrionico, dove spunti simbolistici coesistono con convenzioni realistiche (si pensi solo alla scena della battaglia in *Francesca da Rimini*, che D'Annunzio volle più «vera» possibile), i cui personaggi a volte agiscono, più spesso declamano, assaporando l'eloquenza che l'autore ha saputo loro infondere.

Non stupisce che nella difficile vita teatrale di questi drammi (solo *La figlia di Iorio*, *Città morta*, *La fiaccola sotto il moggio* mantengono una discontinua presenza in repertorio) sia sempre stato fondamentale l'intervento del regista, per sfrondare le troppe ridondanze, sveltire l'azione, eliminare le dissonanze di tono, ricondurre l'opera a un piano univoco di significato.

Un altro fondamentale ambito di ricerca della critica attuale riguarda il profilo del personaggio: «un trasgressore incapace di assumere fino in fondo e dentro di sé la propria trasgressione», suggerisce Baratto (*op. cit.*, p. 153); opinione che andrà precisata tenendo conto delle osservazioni di Anna Barsotti, in un intervento esemplare sul *Teatro di poesia* (1978):

Il superuomo dannunziano, che agisce sotto la spinta di virtù *inventate*, soggettivistiche (e letterarie), anziché col fato, si trova a combattere con le proprie debolezze, i vizi inconfessati e mistificati, la propria incapacità ad instaurare un rapporto normale con gli altri. E in questa lotta apparente (io-mondo esterno) che non tarda a svelare quella reale (io mitizzato-io nudo), l'eroe perde anche, come figura della scena, la tridimensionalità drammatica. Diventa un primo esemplare, ma inconsapevole, di io epico novecentesco, proiezione dell'io dell'autore (pp. 30, 31).

Parente prossimo del protagonista narrativo, stretto in una morsa (come vuole Baratto) i cui poli sono eros e potere, obbligato a vivere tra personaggi fittizi e fondali di cartapesta, l'eroe drammaturgico spesso soccombe, vittima sacrificale della sua sconfinata febbre affermativa: è il fallimento di un eroe inerme di fronte a se stesso, come vorrebbe Jacobbi? («Il primo dei superuomini sconfitto è lui, Gabriele: sconfitto dalla sua stessa invincibile riverenza pei valori borghesi», Jacobbi, 1980, p. 19). Oppure l'autoesaltazione funebre di chi vuole riaffermare, nel gesto tragico, la propria diversità? (Fedra, nella lettura di Bàrberi Squarotti, 1980). O si dovrebbe invece parlare dell'incapacità dannunziana di modernizzare un inerte rituale eroico, che prevede la catastrofe tragica, impraticabile però senza la salvaguardia della distanza epocale (il caso di Corrado Brando)? E, inoltre, quanto è lecito definire sconfitta il crollo del protagonista sotto l'urto di quei valori che egli stesso ha cercato di far trionfare, come Ruggero Flamma ucciso da Elena Commena, dominata anch'essa dalla brama di potere?

Sono prese di posizione tutte legittime e tutte al tempo stesso parziali: il teatro, come l'intera attività letteraria di D'Annunzio, deve essere affrontato con procedimenti di rigorosa storicizzazione, individuandone volta per volta la problematicità in relazione alla singola opera o a segmenti di periodizzazione quanto più omogenei possibile (dove le scelte di genere risultano certo importanti ma non veramente decisive), che tengano conto dello specifico momento esistenziale, della fase ideologico-culturale, dei condizionamenti esterni (il pubblico, il mercato); un tema, quest'ultimo, particolarmente importante per capire l'inesauribile versatilità del drammaturgo.

Come prima approssimazione il teatro deve essere considerato un'espressione tipica del mondo del «superuomo», dal quale i personaggi ricavano la loro inconfondibile impronta di vitalismo irrazionalistico. E sulla scena, come nei romanzi e nella lirica degli stessi anni, D'Annunzio agita, con gran dispendio di sovrastrutture concettuali, proponendo situazioni drammaturgiche tanto esasperate quanto inconsistenti, alcuni dei motivi ideologici e psico-affettivi che caratterizzano questo suo momento. Il problema del rapporto con la folla, per esempio, che viene impostato, in coincidenza con scelte esistenziali affettivamente praticate, da Stelio Effrena (nel *Fuoco*) e da Ruggero Flamma (nella *Gloria*); oppure, per ritornare ad un nucleo profondo della personalità dannunziana, il tema dell'antagonismo tra maschile e femminile, che D'Annunzio sviluppa grazie ai personaggi di Marco Gratico (*La nave*) e Paolo Tarsis (*Forse che sì forse che no*), ai quali la sublimazione delle pulsioni erotiche schiude una forma nuova di autorealizzazione eroica.

Resta ancora da chiedersi se il teatro di D'Annunzio

sia stato un episodio veramente significativo anche per la storia della drammaturgia: una domanda per la quale non si hanno, per ora, risposte esaurienti, anche perché la critica, abituata da sempre a privilegiare il testo, non sembra ancora sufficientemente sensibile al problema dei codici rappresentativi. Giovanni Getto, ma in un saggio ancora puntato sugli aspetti letterari del testo (*La città morta*, 1972, ora Getto, 1976), ha perentoriamente rivendicato il carattere innovativo di *Città morta*, una tragedia che per la sua impronta originale ha segnato «la rottura clamorosa con la quotidianità grigia del dramma borghese» (p. 167).

Due, secondo il critico, gli elementi più innovativi: i personaggi, la cui nuova psicologia risponde all'«intuizione originale [...] anche se non pienamente chiarita e consapevole [...] dei legami che oscuramente prolungano [la persona umana] nella vita della natura» (p. 172); e la concezione dello spazio drammaturgico, che non è più un puro e semplice luogo fisico, ma sembra nascere allusivamente dai dialoghi dei personaggi, rappresentandone la condizione interiore o la segreta ossessione.

«Se sul positivo il teatro dannunziano tenderà al "teatro di poesia" — suggerisce da parte sua Scrivano (1976, p. 70) — o al teatro spettacolo [...], sul negativo esso tende alla distruzione del personaggio attraverso l'annullamento della sua psicologia, alla distruzione della ragione attraverso l'irrazionalistica esaltazione morbosa delle passioni e dei sensi».

Spinte innovative che si collocano su uno sfondo ancora tradizionale: «In questo teatro di D'Annunzio — ricorda Mario Baratto — c'è un aspetto di teatro borghese. L'adulterio e lo stesso incesto sono temi del teatro borghese che vengono sublimati, [...] nobilitati, [...] enfatizzati fino alla tensione tragica» (1980, p. 153).

Conclusioni definitive ancora mancano, ma si comincia a capire che il teatro di D'Annunzio esprime quella stessa carica di irrealizzata modernità, quel presentimento di nuove soluzioni, mai però lucidamente e sistematicamente praticate, che caratterizza la lirica e la narrativa.

Mentre fervono le iniziative del cinquantenario della morte del poeta (curioso incontro dei rituali dell'industria culturale e delle nostalgie di quei molti che vorrebbero un vero e proprio processo di beatificazione), è ancora difficile dire quali cammini sia destinata a percorrere la critica dannunziana degli anni Novanta.

Qualche indizio permette però di rilevare una modalità nuovissima di approccio che promette buoni frutti perché illumina i prodotti artistici della moderna consapevolezza delle articolazioni e dei fenomeni dell'industria culturale: una realtà complessa che ha in Italia, nell'ultimo Ottocento, il suo momento aurorale, in concomitanza con il primo profilarsi di alcune manifestazioni della società di massa.

Già da parecchi anni si è infatti rilevato il carattere inedito, per più aspetti rivoluzionario, della cultura letteraria di fine Ottocento, soprattutto in relazione allo sviluppo della società borghese e alla nascita di un'editoria moderna, di carattere imprenditoriale.

Si affermano figure intraprendenti, qualche volta spregiudicate, di editori (Sommaruga, Sonzogno, Treves), il cui scopo, sullo sfondo della vocazione pedagogica e della volontà egemonica della borghesia ottocentesca, è anche quello di piazzare il libro, inteso come merce, su un mercato sempre più ampio e sempre più complesso; si intensifica, in parallelo, l'intreccio editoria-giornali, che permette, anche sul piano pubblicitario, un tiro incrociato: la narrativa sarà presente in appendice sui quotidiani e i quotidiani pubblicizzeranno le opere dell'autore di scuderia con qualche ghiotta anticipazione letteraria, oppure con qualche pettegolezzo di calibrata indiscrezione. Perché è questa l'altra novità di rilievo; la comprensione che il successo di vendita di un'opera dipende anche dalla fama dell'autore, dalla risonanza che ha saputo crearsi come personaggio. Si trasforma così non solo il libro, che dovrà interpretare, pena l'insuccesso, i gusti del maggior numero possibile di lettori, ma la figura stessa e la posizione professionale dell'autore come produttore. La diffusione delle sue opere gli può garantire, come mai prima nella storia, fama e ricchezza; d'altra parte egli deve costantemente solleticare l'interesse del pubblico, stimolarne la curiosità (magari con qualche calcolato gesto trasgressivo), interpretarne le fantasie e gli ideali, evitare di urtarne la sensibilità.

Sono cose che ormai si cominciano a conoscere, e sulle quali non è necessario soffermarsi.

Quello che ancora non era stato chiarito, invece, riguardava la posizione di D'Annunzio rispetto a questi processi, anche per il prevalere di indirizzi critici riluttanti a far scendere l'arte nel mondo dei comuni mortali.

La prima indicazione è venuta, sullo spunto di una pagina memorialistica di Julien Benda, da Ezio Raimondi. In D'Annunzio egli scopre «la logica di un grande produttore di letteratura, di uno scrittore che sta alle regole del mercato e non perde mai il contatto con il pubblico, accettando la propria parte di personaggio come una specie di mito che va insieme vissuto e amministrato secondo il canone industriale della domanda e offerta» (*D'Annunzio, una vita come opera d'arte*, 1969, ora in Raimondi, 1980, p. 42), e su questa premessa articola, con la solita eleganza, la prima parte del saggio.

Quanto fosse chiara agli occhi di D'Annunzio la necessità di mantenere la presa sul pubblico, condizione indispensabile per il successo, viene confermato dalle sue lettere agli editori e al traduttore francese, l'amico Georges Hérelle: «Io [...] sono con il pubblico europeo — gli scriveva il 9 luglio 1896 — nel contatto più diretto e immediato: sono una forza vivente e feconda. Sono sicuro di poter *étonner* il pubblico per molti anni ancora. La mia capacità di metamorfosi è prodigiosa. Il segreto è tutto qui» (cito dalla monografia di Anna Maria Andreoli, 1984, p. 108, che ha dedicato ampio spazio all'illustrazione delle strategie reclamistiche dell'autore risoluto a «sfondare» a tutti i costi).

D'altronde se il suo contatto con il pubblico non fosse stato così stretto e così rapida la sua capacità di reazione alle nuove mode e ai nuovi bisogni, il capofila del cosmopolitismo letterario che D'Annunzio era stato fino alla seconda metà degli anni Novanta (raffinato distillatore dei veleni della *décadence*, scettico, cerebrale, facile agli sfoghi anti-borghesi), non avrebbe potuto evolversi nel Vate della gloria nazionale e nel poeta dei ceti proprietari.

Una virata resa possibile dalla sua capacità di lavorare contemporaneamente su registri diversi, pilotando le spesso autentiche inquietudini ad appuntamenti simultanei con differenti strati di pubblico: eccolo prendere posizione, negli anni «parnassiani» a favore del potenziamento della marina militare con otto articoli pubblicati su «Tribuna» nel 1888; o uscirsene, quando è ormai diventuto l'osannato poeta dell'energia nazionale, in invettive anti-borghesi della migliore tradizione dandistica (particolarmente aspre se è alla bellezza della sua arte che sembra sordo il pubblico italiano).

Ma le testimonianze dell'attenzione vigile e intelligente ai problemi del pubblico e del mercato si rintracciano fin quasi dagli esordi della sua attività letteraria: fin da quando D'Annunzio, ancora adolescente, faceva pubblicare sulla «Gazzetta della Domenica» (1880) la notizia, poi subito smentita, della propria morte per una caduta da cavallo, in modo da tener desto l'interesse dei lettori.

Un gesto emblematico che inaugura una serie interminabile di scandali mondano-letterari, di polemiche spesso inutili ma sempre scaltramente condotte, di uscite pubbliche nelle vesti di cerimoniere ufficiale dell'Italia monarchica e nazionalista (la strada l'aveva mostrata Carducci, nel 1891 senatore del regno), di interviste «indiscrete», dove spesso D'Annunzio mette lo zampino a suggerire lui stesso la parola giusta e la clausola elegante: all'amico Ojetti che gli aveva mandato, per la correzione, le bozze di un'intervista per il volume *Alla scoperta dei letterati*, risponde: «Mi spiace quella particolarità alla fine. Bisognava trovare un'immagine più nobile e più dolce» (*Carteggio D'Annunzio-Ojetti*, a cura di G. Ceccuti, 1979, lettera del 25 aprile 1895, p. 81). E suggerisce il «*finale* più grave e significativo» (ivi) che Ojetti avrebbe poi fatto suo.

Abilissimo d'altra parte D'Annunzio nello sfruttare il canale del giornalismo: ha osservato a proposito del *Pia-*

cere Anna Maria Andreoli che «D'Annunzio travasa la propria cronaca giornalistica nel romanzo, provvedendosi di un lettore che in sostanza legge due volte, in chiave di cronaca e in chiave romanzesca, le stesse cose» (*La regia del «Convito»*, p. 169, in AA.VV., 1984); per quanto riguarda «Convito», continua la studiosa, «la regia del D'Annunzio è indubitabile, e si tratta di una regia che segna un'escalation nei rapporti fra lo scrittore e la stampa periodica» (ivi), tanto che la rivista finisce per interpretare la funzione di una vera e propria «cornice dei testi dannunziani».

Per un periodo, negli anni della guerra di Libia e dell'esilio francese, è addirittura il quotidiano, il «Corriere della Sera» di Albertini, a rappresentare (anche per ragioni ben concrete: il bisogno di quattrini) il veicolo preferito del poeta e del prosatore, che perfeziona un suo genere, la «favilla», prosa breve e preziosa risolta nel giro di pochi periodi: è quel D'Annunzio che «vuota i suoi cassetti», come ha detto Serra nelle *Lettere*, «si ferma sopra un punto, un ricordo, una sensazione e la esprime; ne cava una pagina e poi ha finito» (*Le lettere*, in Serra, 1974, p. 397).

Ma i giornali e la stampa periodica non sono stati soltanto il banco di prova dell'artista ma anche e soprattutto la cassa di risonanza del personaggio, che ha costruito con uno spettacolo quotidiano la sua propria leggenda di «vita inimitabile», di genialità, di successo.

Emblematico il caso dell'«Illustrazione italiana», il settimanale dei Fratelli Treves, gli editori di D'Annunzio. L'uscita di tutti i suoi nuovi lavori veniva preparata per tempo, con un frastuono pubblicitario senza eguali, così da presentarla come un vero e proprio avvenimento nazionale per stimolare l'interesse del lettore colto e del curioso di mondanità, dei letterati e delle signore.

Un paio di mesi prima dell'uscita di *Maia*, per fare un solo esempio, un trafiletto dell'«Illustrazione» dell'8 marzo 1903 avverte che, «mentre si aspetta la pubblicazione delle *Laudi*, che sarà l'avvenimento letterario di quest'anno, il "Secolo XX", la nuova e già tanto diffusa Rivista pubblicata dai Fratelli Treves, fa conoscere la casa dove il poeta ha scritto buona parte di questo libro. Un gran numero di fotografie, eseguite a posta da Dante Paolocci, e un articolo magistrale scritto da un distinto letterato, introducono nell'intimità della "casa di un artista" [...]». Qualche settimana dopo, il 10 maggio, si rincara la dose per creare un più completo effetto di attesa e di curiosità: «Nella "Rivista d'Italia" Giuseppe Mazzatinti illustra un turbinoso periodo di storia perugina, a commento di sei dei sonetti che D'Annunzio ha con tanta arte dedicati alle *Città del silenzio* e che faranno parte delle sue *Laudi*».

Il mondo sembra girare intorno alle *Laudi* e lo confermerà l'articolo di tre pagine (con fotografia), a firma di Raffaello Barbiera, in occasione dell'uscita di *Maia*, che strappa la posizione di apertura al servizio sul soggiorno italiano di Guglielmo II, nel fascicolo del 17 maggio 1903 (caso raro in una rivista così attenta alle vicende della mondanità coronata).

Da questo momento in poi, per un paio di mesi, trovano eco sull'«Illustrazione italiana» voci di critici e giornalisti che celebrano il nuovo capolavoro (Mario(?) Morasso, Dino Mantovani, dalla «Stampa»; Giuseppe Lipparini, dal «Resto del Carlino», «Falco», dall'«Indipendente» di Trieste, ecc.), trascelte con intelligente selezione: a tranquillizzare il pubblico cattolico («Anche il Mantovani [...] combatte le sue teorie anti-cristiane, ma non crede si deva prendere sul serio la sua predicazione; bensì, qualunque sia il nostro gusto e le nostre convinzioni, dobbiamo accogliere *Laus vitae* solo come un'importante opera di poesia», 7 aprile 1903); ma con un contentino per i lettori laici e massoni: «Su 8400 versi, una strofa eretica aveva sollevato l'indignazione della stampa cattolica e protestante; e fin qui era naturale. Ma quando si parlò di un triduo, tutti ci vedevano una nuova *réclame*, a uso Odol o Tot. Invece era proprio vero. La grande funzione di riparazione fu celebrata lunedì. Dopo Voltaire, crediamo, nessun poeta aveva ottenuto un sì grande oltraggio o un sì grande onore, secondo i gusti» (14 giugno 1903).

Una abilissima strategia promozionale, concertata da

Treves e D'Annunzio, che si ripete per ogni nuova opera.

La grande macchina della persuasione pubblicitaria, e quindi del consumo, ha bisogno di divi e crea eserciti di *fans*: fenomeni di costume come il dannunzianesimo in Italia o lo snobismo dei «D'Annunziesques» in Francia (cfr. Carassus, 1966) dimostrano la precoce acutezza dell'operazione di D'Annunzio. Perfino l'intreccio vita-arte, nel quale egli suggella la vocazione estetizzante, si dimostra una perfetta macchina reclamistica che cattura il voyerismo del pubblico con raffinatissime e spudorate tecniche di autoesibizione.

Si delinea così una direzione di indagine che soltanto nell'ultimo decennio è stata giustamente valorizzata, ma con una concentrazione di sforzi che lascia ben sperare, se ha coinvolto il versante più divulgativo della pubblicistica dannunziana (cfr.per esempio Salierno,1987), la ricerca accademica (mi riferisco alla tesi di dottorato, ancora inedita, di A. Felice, *D'Annunzio e il teatro*, cui va fra l'altro il merito di mettere in nuova luce l'esperienza drammaturgica), i critici più attenti alle ragioni della narrativa (cfr. Andreoli), gli studiosi del D'Annunzio «teorico dello spettacolo» (per usare la definizione di Fabre, 1981), ecc.

Si tratta di ricerche di diversa impostazione e di diversa qualità, certo, ma che hanno in comune l'interesse per le strategie dell'autore come produttore e propagandista di se stesso e della propria opera.

Nella complessità degli intrecci metodologici sembrano prevalere (e sono probabilmente destinati a guadagnare sempre più spazio) i suggerimenti della sociologia della letteratura e della semiologia, il cui punto d'incontro è la consapevolezza che l'arte può essere compresa solo nel quadro della vita sociale.

Ma se la sociologia della letteratura di solito non dimentica l'importanza delle strutture sociali e delle dinamiche del contesto, la critica semiologica, interessandosi soprattutto ai codici (e riducendo produttori e fruitori alle pure astrazioni dell'emittente e del ricevente), rischia di far svaporare il mondo concreto delle contraddizioni individuali e sociali, degli interessi e dei conflitti di classe, in un puro e asettico universo di segni.

Il prossimo passo, in questa direzione, dovrà portare la critica a domandarsi quale influenza abbia avuto, sul piano del fare artistico concreto, delle scelte tematiche, di genere, di stile, la dialettica di D'Annunzio con il pubblico (da definire a livello sociologico e non meramente astratto), in modo da spostare l'accento dall'aspetto estrinseco al carattere individuale dell'opera d'arte. Qualcosa è già stato fatto: per esempio la pubblicazione, a cura di Ivanos Ciani (1976), del *Piacere* nella stesura preparata per l'edizione francese del 1894, che permette confronti illuminanti. Sperelli non poteva infatti presentarsi ai lettori francesi con gli stessi gesti e le stesse parole che lo avevano reso famoso presso il pubblico di casa, ancora per più aspetti provinciale e ingenuo, ma doveva vestirsi alla moda di Parigi per rinnovare il successo della sua prima uscita italiana.

Un esempio, in piccolo, di quella accorta capacità metamorfica, al confine tra calcolo e istinto, che ha permesso al poeta della «Diversità» di sopravvivere, in vita e in morte, a tutte le evoluzioni del gusto.

NOTA BIBLIOGRAFICA

Della enorme bibliografia dannunziana vengono qui riportate soltanto quelle opere alle quali ho fatto nel testo esplicito riferimento.

Le citazioni dannunziane, quando manchi una specifica indicazione bibliografica, sono tratte dall'edizione «ne varietur» dell'Opera dannunziana, pubblicata dal 1927 al 1936 a cura dell'Istituto nazionale per l'edizione delle opere di Gabriele D'Annunzio.

L'abbreviazione «QV» indica la rivista «Quaderni del Vittoriale».

AA.VV., *L'arte di Gabriele D'Annunzio*, a cura di E. Mariano (Atti del Convegno Internazionale di Studio, Venezia - Gardone Riviera - Pescara 7-13 ottobre 1963), Mondadori, Milano 1968.

AA.VV., *D'Annunzio e il simbolismo europeo* (Atti del Convegno del 1973), Il Saggiatore, Milano 1976.

AA.VV., *Ipotesi per una biografia di D'Annunzio*, in «QV», novembre-dicembre 1979.

AA.VV., *Trionfo della morte* (Atti del Convegno del 1981), Pescara 1983.

AA.VV., *D'Annunzio giornalista* (Atti del Convegno del 1983), Pescara 1984.

AA.VV., *Strutturalismo e critica*, a cura di C. Segre, Il Saggiatore, Milano 1985.

AA.VV., *La figlia di Iorio* (Atti del Convegno del 1985), Pescara 1986.

AA.VV., *D'Annunzio notturno* (Atti del Convegno del 1986), Pescara 1987.

Stefano Agosti, *Il testo poetico. Teoria e pratiche d'analisi*, Rizzoli, Milano 1972.

Id., *Tecniche della trasposizione in D'Annunzio*, in «Il Verri», n. 5-6, 1985.

Paolo Alatri (a cura di), *Scritti politici di Gabriele D'Annunzio*, Feltrinelli, Milano 1980.

Id., *Gabriele D'Annunzio*, UTET, Torino 1983.

Luciano Anceschi, *Barocco e Novecento*, Rusconi e Paolazzi, Milano 1960.

Anna Maria Andreoli, *Gabriele D'Annunzio*, La Nuova Italia, Firenze 1984.

Stefano Antonielli, *Gabriele D'Annunzio*, in *I classici italiani nella storia della critica*, vol. II, La Nuova Italia, Firenze 1955.

Alberto Asor Rosa, *La cultura*, in *Storia d'Italia*, vol. IV, t. II, Einaudi, Torino 1975.

Mario Baratto, *Il teatro di D'Annunzio oggi*, in «QV», novembre-dicembre 1980, n. 24.

Giorgio Bàrberi Squarotti, *Il gesto improbabile. Tre saggi su D'Annunzio*, Flaccovio, Palermo 1971.

Id., *Gli inferi e il labirinto*, Cappelli, Bologna 1974.

Id., *Lo spazio della diversità: Fedra*, in «QV», settembre-ottobre 1980, n. 23.

Id., *Invito alla lettura di D'Annunzio*, Mursia, Milano 1982.

Id., *«Alcyone» o la poesia del fare poesia*, in «Il Verri», 1985, n. 5-6.

Anna Barsotti, *Il «Teatro di poesia»*, in «Rivista italiana di Drammaturgia», dicembre 1978, n. 9-10.

Gian Luigi Beccaria, *L'autonomia del significante*, Einaudi, Torino 1975.

Walter Binni, *La poetica del decadentismo italiano*, Sansoni, I ed., Firenze 1936.

Carlo Bo, *Riflessioni critiche*, Sansoni, Firenze 1953.

Norberto Bobbio, *Profilo ideologico del Novecento italiano*, Einaudi, Torino 1986 (I ed. 1969).

Massimo Bontempelli, *Il bianco e il nero*, Guida, Napoli 1987.

Giuseppe Antonio Borgese, *Gabriele D'Annunzio*, Mondadori, Milano 1983 (I ed. 1909).

Raymond Boudon, *Strutturalismo e scienze umane*, Einaudi, Torino 1970.

Luciano Canfora, *Sull'ideologia del classicismo dannunziano*, in «QV», settembre-ottobre 1980, n. 23.

Emilien Carassus, *Le snobisme et les lettres françaises*, Colin, Paris 1966.

Delia Castelnuovo Frigessi (a cura di), *La cultura italiana del Novecento attraverso le riviste. «Leonardo», «Hermes», «Il Regno»*, Einaudi, Torino 1960.

Emilio Cecchi, *Ritratti e profili*, Garzanti, Milano 1957.

Cosimo Ceccuti (a cura di), *Carteggio D'Annunzio-Ojetti*, Le Monnier, Firenze 1979.

Giovanni Comisso, *Le mie stagioni*, Edizioni Treviso, Treviso 1951.

Gianfranco Contini, *Letteratura dell'Italia unita 1861-1968*, Sansoni, Firenze 1968.

Id., *Varianti e altra linguistica*, Einaudi, Torino 1970.

Enrico Corradini, *Scritti e discorsi*, Einaudi, Torino 1980.

Benedetto Croce, *Gabriele D'Annunzio*, (1903) in «La Critica», 1904, ora in *Letteratura della nuova Italia*, vol. IV, Laterza, Bari 1942 (I ed. 1914).

Id., *Di un carattere della più recente letteratura italiana*, in «La Critica», 1907, ora *ibid.*

Id., *L'ultimo D'Annunzio*, in «La Critica», 1935; ora in *Letteratura della nuova Italia*, vol. VI, Laterza, Bari 1940, (I ed. 1940).

Gabriele D'Annunzio, *Pagine disperse*, a cura di A. Castelli, Lux, Roma 1913.

Id., *La penultima ventura*, a cura di R. De Felice, Mondadori, Milano 1974.

Id., *Il Piacere*, nella stesura preparata dall'autore per l'edizione francese del 1894, a cura di I. Ciani, Il Saggiatore, Milano 1976.

Id., *Poesie*, a cura di F. Roncoroni, Garzanti, Milano 1978.

Id., *Alcyone*, a cura di F. Roncoroni, Mondadori, Milano 1982.

Id., *Notturno*, con un saggio di A. Gargiulo (1921), Mondadori, Milano 1983.

Id., *Versi d'amore e di gloria*, Introduzione di L. Anceschi, a cura di A.M. Andreoli e N. Lorenzini, Mondadori, Milano 1984, 2 voll.

Renzo De Felice (a cura di), *La carta del Carnaro nei testi di Alceste De Ambris e Gabriele D'Annunzio*, Il Mulino, Bologna 1973.

Id., *Intervista sul fascismo*, Laterza, Roma-Bari 1975.

Id., *D'Annunzio politico 1918-1938*, Laterza, Roma-Bari 1978.

Eurialo De Michelis, *Tutto D'Annunzio*, Feltrinelli, Milano 1960.

Id., *D'Annunzio a contraggenio*, Edizioni dell'Ateneo, Roma 1963.

Giovanni Destri, *La poetica drammatica di Gabriele D'Annunzio*, in «La Rassegna della Letteratura italiana», gennaio-aprile 1970.

Giacomo Devoto, *La musicalità dannunziana*, in *Studi di stilistica*, Le Monnier, Firenze 1950.

Giorgio Fabre, *D'Annunzio esteta per l'informazione*, Liguori, Napoli 1981.

Enrico Falqui, *Novecento italiano*, vol. III, Vallecchi, Firenze 1971.

Angelo Felice, *D'Annunzio e il teatro* (tesi di dottorato), Università di Trieste, 1986.

Franco Fortini, *Verifica dei poteri*, Il Saggiatore, Milano 1965.

Franco Gaeta, *Il nazionalismo italiano*, Laterza, Roma-Bari 1981.

Cesare Galimberti, *Dino Campana*, Mursia, Milano 1967.

Alfredo Gargiulo, *Gabriele D'Annunzio*, Petrella, Napoli 1912.

Angelo Gatti, *Vita di Gabriele D'Annunzio*, Sansoni, Firenze 1956.

Franco Gavazzeni, *Le sinopie di Alcyone*, Ricciardi, Milano-Napoli 1980.

Giovanni Getto, *Tre studi sul teatro*, Sciascia, Caltanissetta-Roma 1976.

Emerico Giachery, *Verga e D'Annunzio*, Silva, Milano 1968.

Pietro Gibellini, *Logos e Mythos*, Olschki, Firenze 1985.

Jacques Goudet, *D'Annunzio romanziere*, Olschki, Firenze 1976.

Guido Gozzano, *Lettere d'amore ad Amalia Guglielminetti*, Garzanti, Milano 1951.

Marziano Guglielminetti, *La contestazione del reale*, Liguori, Napoli 1974.

Id., *Il romanzo del Novecento italiano. Strutture e sintassi*, Editori Riuniti, Roma 1986.

Angela Guidotti, *Strutture sceniche e strutture narrative nei due «Sogni» dannunziani*, in «Rivista italiana di Drammaturgia», 1978, n. 7.

Armanda Guiducci, *Dallo zdanovismo allo strutturalismo*, Feltrinelli, Milano 1967.

Hans Hinterhäuser, *Fin de siècle: Gestalten und Mythen*, Fink, München 1977.

Ruggero Jacobbi, *Cinque capitoli dannunziani*, in «Rivista italiana di Drammaturgia», dicembre 1978.

Id., *Il teatro di D'Annunzio oggi*, in «QV», novembre-dicembre 1980, n. 24.

Angelo Jacomuzzi, *Una poetica strumentale: Gabriele D'Annunzio*, Einaudi, Torino 1974.

Norbert Jonard, *D'Annunzio romanziere decadente*, in «QV», novembre-dicembre 1982, n. 36.

Arcangelo Leone de Castris, *Il decadentismo italiano*, De Donato, Bari 1974.

Niva Lorenzini, *Il segno del corpo*, Bulzoni, Roma 1984.

Giorgio Luti, *La cenere dei sogni*, Nistri-Lischi, Pisa 1973.

Emilio Mariano, *Sentimento del vivere ovvero Gabriele D'Annunzio*, Mondadori, Milano 1962.

Id., *Il teatro di Gabriele D'Annunzio*, in «QV», settembre-ottobre 1978.

Pier Vincenzo Mengaldo, *La tradizione del Novecento*, Feltrinelli, Milano 1975.

Id., (a cura di), *Poeti italiani del Novecento*, Mondadori, Milano 1978.

Nicola Merola, *Su Verga e D'Annunzio*, Edizioni dell'Ateneo e Bizzarri, Roma 1978.

Renata Mertens Bertozzi, *L'antirealismo di Gabriele D'Annunzio*, La Nuova Italia, Firenze 1954.

George L. Mosse, *L'uomo e le masse nelle ideologie nazionaliste*, Roma-Bari, Laterza 1982.

Anco Marzio Mutterle, *Gabriele D'Annunzio*, Le Monnier, Firenze 1980.

Adelia Noferi, *L'«Alcyone» nella storia della poesia dannunziana*, Vallecchi, Firenze 1946.

Pietro Pancrazi, *Scrittori italiani*, Laterza, Bari 1937.

Id., *Studi sul D'Annunzio*, Tumminelli, Roma 1944 (I ed. 1939).

Ettore Paratore, *Studi dannunziani*, Morano, Napoli 1966.

Mario Pazzaglia, *Teoria e analisi metrica*, Patròn, Bologna 1974.

Giorgio Petrocchi, *Poesia e tecniche narrative*, Mursia, Milano 1962.

Giuseppe Petronio, *Problemi e strutturalismo*, in «Problemi», gennaio-aprile 1970, n. 19-20.

Id., *Gabriele D'Annunzio*, in *Letteratura italiana Marzorati, I maggiori*, Marzorati, Milano 1974.

Id., *Gabriele D'Annunzio*, Palumbo, Palermo 1977.

Jean Pierrot, *L'imaginaire décadent 1880-1900*, Presse Universitaire de France, Paris 1977.

Francesco Piga, *D'Annunzio legge Nietzsche*, in «QV», gennaio-febbraio 1980, n. 19.

Antonio Piromalli, *Amalia Guglielminetti*, in *Letteratura italiana Marzorati, Il Novecento*, vol. I, Marzorati, Milano 1979.

Id., *Guido da Verona*, *ibid.*

Mario Praz, *La carne, la morte e il diavolo nella letteratura romantica*, Sansoni, Firenze 1966 (I ed. 1930).

Ezio Raimondi, *Il silenzio della Gorgone*, Zanichelli, Bologna 1980.

Mario Ricciardi, *Coscienza e struttura nella prosa di D'Annunzio*, Giappichelli, Torino 1970.

Vittorio Roda, *La strategia della totalità*, Boni, Bologna 1978.

Angelo Romanò (a cura di), *La cultura italiana del Novecento attraverso le riviste. «La Voce» (1908-1914)*, Einaudi, Torino 1960.

Floriano Romboli, *Un'ipotesi per D'Annunzio*, Ets, Pisa 1986.

Aldo Rossi, *Protocolli sperimentali della critica*, II, in «Paragone», 1967, n. 210.

Id., *D'Annunzio e il Novecento*, in «Paragone», 1968, nn. 222, 226.

Luigi Russo, *Il tramonto del letterato*, Laterza, Bari 1960.

Vito Salierno, *D'Annunzio e i suoi editori*, Mursia, Milano 1987.

Carlo Salinari, *Miti e coscienza del decadentismo italiano*, Feltrinelli, Milano 1960.

Id., *Preludio e fine del realismo in Italia*, Morano, Napoli 1967.

Edoardo Sanguineti, *Tra liberty e crepuscolarismo*, Mursia, Milano 1977, I ed. 1961.

Gianni Scalia, *Critica, letteratura, ideologia*, Marsilio, Padova 1968.

Emanuella Scarano Lugnani, *Dalla «Cronaca bizantina» al «Convito»*, Vallecchi, Firenze 1970.

Id., *Gabriele D'Annunzio*, «Letteratura italiana Laterza», vol. LVIII, Laterza, Roma-Bari 1976.

Luigi Scorrano, *«Il fuoco»: i segni della morte*, in «Otto-Novecento», luglio-ottobre 1977.

Riccardo Scrivano, *Decadentismo e teatro. Note dannunziane*, in «Critica letteraria», 1976, n. 1.

Renato Serra, *Scritti letterari, morali, politici*, a cura di M. Isnenghi, Einaudi, Torino 1974.

Scipio Slataper, *Scritti letterari e critici*, Mondadori, Milano 1956.

Elsa Sormani, *Bizantini e decadenti nell'Italia umbertina*, «Letteratura italiana Laterza», vol. LVI, Laterza, Roma-Bari 1975.

Rykusky Spezzani, *Ungaretti*, in AA.VV., *Ricerche sulla lingua poetica contemporanea*, Liviana, Padova 1966.

Roberto Tessari, *Il mito della macchina*, Mursia, Milano 1973.

Luigi Testaferrata, *D'Annunzio paradisiaco*, La Nuova Italia, Firenze 1972.

Guy Tosi, *D'Annunzio découvre Nietzsche (1892-1894)*, in «Italianistica», settembre-dicembre 1973, n. 3.

Diego Valeri, *D'Annunzio davanti al fascismo*, Le Monnier, Firenze 1963.

Elio Vittorini, *Diario in pubblico*, Bompiani, Milano 1970.

LA POETICA

A GIOSUE CARDUCCI *

Illustre Signore,
   quando ne le passate sere d'inverno leggevo avida-
mente i suoi bei versi, e gli ammiravo dal profondo del-
l'animo, e sentivo il cuore battermi forte di affetti nuovi
e liberi, mi venne molte volte il desiderio di scriverle una
letterina in cui si racchiudessero tutti questi sentimenti e
questi palpiti giovanili. Prendevo il foglietto e la penna,
ed ascoltando la voce gentile dell'anima tiravo giù le
prime righe con una furia e un ardore indicibili; ma nel
voltar pagina mi assalivano a un tratto cento curiosi pensieri che mi costringevano a smettere ed a scuotere la testa come per dire: che gran sciocco che son io!... Mi pareva infatti una solenne sciocchezza che un giovinetto di
sedici anni come me, oscuro alunno di liceo, scrivesse a un
poeta come lei, già famoso in tutta l'Italia, soltanto per
fargli sapere che l'ama lo riverisce e lo ammira. A dir la
verità, mi pareva ancora che quel poeta, dopo aver letta la
lettera, la dovesse gettare nel cestino delle carte sudicie
con un certo sorrisetto tra il compatimento e lo sprez-
zante...
   Nel gennaio le mandai un mio biglietto da visita, ed
Ella gentilmente mi rimandò il suo; cosicché ora mi son
fatto animo e... le scrivo.
   È forse soverchio ardire il mio?

---

* Lettera di D'Annunzio a Giosue Carducci, 6 marzo 1879, in P.
Alatri, *Gabriele D'Annunzio*, UTET, Torino 1983, pp. 11-2.

Oh non mi creda un ragazzo vano e presuntuoso, uno di quei damerini tronfi d'orgoglio ma vuoti come una buccia di limone spremuto, che mandan lettere su lettere a i famosi, finché non sono giunti a carpirne una risposta, fors'anco di un rigo o due, fors'anco poco gentile, per poter poi strombazzare a i quattro venti: «vedete, io ho corrispondenza aperta col poeta A., col romanziere C., con l'orientalista B.!... Arguïte da questo, o piccoli, che pezzo grosso son io!».

Oh non mi creda uno di questi, mio buon signore!...Io le parlo co 'l cuore su le labbra, e sento dentro di me una commozione strana e vivissima, e mi trema la mano nel vergar queste righe.

Io voglio seguire le sue orme: voglio anch'io combattere coraggiosamente per questa scuola che chiamano nuova, e che è destinata *a vedere trionfi ben diversi da quelli della chiesa e della scuola del Manzoni*; anch'io mi sento nel cervello una scintilla di genio battagliero, che mi scuote tutte le fibre, e mi mette nell'anima una smania tormentosa di gloria e di pugne; anch'io voglio consacrare a l'arte vera i baleni più fulgidi del mio ingegno, le forze più potenti della mia vita, i palpiti più santi del mio cuore, i miei sogni d'oro, le mie aspirazioni giovanili, le tremende amarezze e le gioie supreme...

E voglio combattere al suo fianco, o Poeta!

Ma dove mi trasporta l'ardore? Mi perdoni, Signore, e pensi che io ho sedici anni e che sono nato sotto il sole degli Abruzzi. Vorrei mandarle alcune mie poesie barbare, ma mi parrebbe di seccarla troppo, ed il Leopardi, in una sua lettera al Giordani, dice che *la lettura di un migliaio di versi cattivi è supplizio intollerabile ad un vero letterato*.

Mi accorgo ora di aver ciarlato troppo, e d'aver messo a dura prova la sua pazienza; e quindi le chieggo scusa e non vado più avanti.

Con tutta l'anima sono il suo dev.mo e affez.mo servo
Gabriele D'Annunzio

L'ARTIFEX PARNASSIANO *

Le barbariche strofe io, ne le prime
armi, scagliavo in alto a la ventura,
ed elle, come falchi da le cime,
seguitavano a vol senza paura.

Ne lo stridulo gioco de le rime
or crudelmente io cerco una tortura
ed i versi sottili come lime
odo segarmi i nervi aspri in misura.

A lo spasimo rido io con un roco
riso, stringendo i denti, impallidendo
qual sotto il taglio un milite ferito.

Ma ne la prova di quel chiuso foco
mi si tempra il sonetto; ed io lo rendo
come un pezzo d'acciar terso e brunito.

* G. D'Annunzio, VII «sonetto di primavera», dall'*Intermezzo di rime*, ed. 1883 (Sommaruga), ora in G. D'Annunzio, *Versi d'amore e di gloria*, a cura di A.M. Andreoli e N. Lorenzini, Mondadori, Milano 1984, pp. 315-6.

A VITTORIO PEPE *

Lavorate, lavorate, lavorate, voi giovani, voi pieni di fede e di forza! Ci sono ancora molte vette da conquistare. Tu, che sei una natura così signorilmente squisita d'artista, tu farai molto, andrai molto avanti. Getta via lungi da te tutti i timori, tutte le timidezze, tutte le esitazioni: sii audace; non ti stancare mai di cercare, di tentare, di provare. La via dell'arte è lunga e scabra ed erta: per salirla ci vogliono dei lombi *armati di valore*. Tu hai una intelligenza fine e una cultura non comune; ti manca lo spirito irrequieto delle imprese. Costí a Napoli, in cotesta baraonda vivente, tramezzo a' coetanei, alli émuli, alli invidiosi, fatti largo, per Dio! Tu hai diritto di farti largo in faccia al gran sole: conquistalo, *Vittorio*, e trai augurio dal tuo nome. Non ti spaventare della lotta: è la lotta per la vita, *the struggle for life* del Darwin, la lotta inevitabile e inesorabile. Guai a chi si abbatte. *Guai agli umili!*

Non ti scandalizzare di queste massime poco cristiane. Da' retta a me, a me che ti sono amico sincero e che ho molta esperienza dall'essere vissuto in mezzo alla gente combattendo a furia di gomitate e facendomi largo furiosamente. Sii forte e coraggioso. Ormai il regno delle nullità è finito. Sòrgano i volenti.

* Dalla lettera di D'Annunzio a Vittorio Pepe, 1° febbraio 1884, in *Pagine disperse*, a cura di A. Castelli, Lux, Roma 1913, pp. 34-5.

«LA SCIENZA DELLE PAROLE» *

Tale è la potenza delle parole coordinate che i più vecchi aforismi hanno ancora sul nostro spirito un'efficacia notevole e possono perfino provocare o arrestare un atto decisivo. Così i pesci si lasciano ancora prendere dalle vecchissime reti.

C'è una sola scienza al mondo, suprema: — la scienza delle parole. Chi conosce questa, conosce tutto; perché tutto esiste solamente per mezzo del Verbo.

Nulla è più utile delle parole. Con esse l'uomo compone tutto, analizza tutto, abbassa tutto, distrugge tutto.

Una parola non concede intera la sua forza che a colui il quale ne conosce le origini prime.

* G. D'Annunzio, *Note sulla vita*, nel «Mattino», 22-23 settembre 1892, ora in *Pagine disperse* cit., pp. 541-2.

«LE PLEBI RESTANO SEMPRE SCHIAVE» *

Non credete se non nella forza temprata dalla lunga disciplina. La forza è la prima legge della natura, indistruttibile, inabolibile. La disciplina è la superior virtù dell'uomo libero. Il mondo non può essere costituito se non su la forza, tanto nei secoli di civiltà quanto nelle epoche di barbarie. Se fossero distrutte da un altro diluvio deucalionico tutte le razze terrestri e sorgessero nuove generazioni dalle pietre, come nell'antica favola, gli uomini si batterebbero tra loro appena espressi dalla Terra generatrice, finché uno, il più valido, non riuscisse ad imperar su gli altri. Aspettate dunque e preparate l'evento. Per fortuna lo Stato eretto su le basi del suffragio popolare e dell'uguaglianza, cementato dalla paura, non è soltanto una costruzione ignobile ma è anche precaria. Lo Stato non deve essere se non un instituto perfettamente adatto a favorire la graduale elevazione d'una classe privilegiata verso un'ideal forma di esistenza. Su l'uguaglianza economica e politica, a cui aspira la democrazia, voi andrete dunque formando una oligarchia nuova, un nuovo reame della forza; e riuscirete in pochi, o prima o poi, a riprendere le redini per domar le moltitudini a vostro profitto. Non vi sarà troppo difficile, in vero, ricondurre il gregge all'obedienza. Le plebi restano sempre schiave, avendo un nativo bisogno di tendere i polsi ai vincoli. Esse non avranno dentro di loro giammai, fino al termine dei secoli, il sentimento della libertà.

* G. D'Annunzio, *Le vergini delle rocce* (1895), ed. naz., pp. 45-6.

«UN ATTO È LA PAROLA DEL POETA COMUNICATA ALLA FOLLA» *

V'è nella moltitudine una bellezza riposta, donde il poeta e l'eroe soltanto possono trarre baleni. Quando quella bellezza si rivela per l'improvviso clamore che scoppia nell'anfiteatro o sulla piazza pubblica o nella trincea, allora un torrente di gioia gonfia il cuore di colui che seppe suscitarla col verso, con l'arringa, col segno della spada. Un atto è la parola del poeta comunicata alla folla, un atto come il gesto dell'eroe. È un atto che crea dall'oscurità dell'anima innumerevole un'istantanea bellezza. Non altrimenti un artefice inspirato potrebbe da una mole d'argilla trarre con un sol tocco del suo pollice plastico una statua divina. Cessa allora il silenzio che pende, come una cortina sacra, sul poema compiuto. La materia della vita non è più evocata dai simboli immateriali; ma la vita si manifesta nel poeta integra, il verbo si fa carne, il ritmo si accelera in una forza respirante e palpitante, l'idea si enuncia nella pienezza della forza e della libertà.

Ecco infine l'azione: quell'azione virile a cui aspiriamo — talvolta con dolorosa frenesia nascosta — noi tutti che vedemmo tramontare su la ruina della patria la nostra gioventù delusa.

* G. D'Annunzio, *Laude dell'illaudato* (*Il discorso della siepe*, 1897), in *Il libro della giovane Italia*, ed. naz., p. 26.

«NATURA ED ARTE SONO UN DIO BIFRONTE» *

Se t'è l'acqua visibile negli occhi
e se il làtice nudre le tue carni,
viver puoi anco ne' perfetti marmi,
e la colonna dorica abitare.

Natura ed Arte sono un dio bifronte
che conduce il tuo passo armonioso
per tutti i campi della Terra pura.
Tu non distingui l'un dall'altro volto
ma pulsare odi il cuor che si nasconde
unico nella duplice figura.
O ignuda creatura,
teco salir la rupe veneranda
voglio, teco offerire una ghirlanda
del nostro ulivo a quell'eterno altare.

Torna con me nell'Ellade scolpita
ove la pietra è figlia della luce
e sostanza dell'aere è il pensiere.
Navigando nell'alta notte illune,
noi vedremo rilucere la riva
del diurno fulgor ch'ella ritiene.
Stamperai nelle arene
del Fàlero orme ardenti. Ospiti soli
presso Colono udremo gli usignuoli
di Sofocle ad Antigone cantare.

* Dal *Fanciullo*, strofa VI, in G. D'Annunzio, *Alcyone* (1903), ed.
naz., pp. 12-3.

«VOLONTÀ, VOLUTTÀ, ORGOGLIO, ISTINTO» *

Volontà, Voluttà,
Orgoglio, Istinto, quadriga
imperiale mi foste,
quattro falerati corsieri,
prima di trasfigurarvi
in deità operose
come le Stagioni, che fanno
le danze lor circolari
e compagne son delle Grazie
e delle Parche in ricondurre
Prosèrpina ai giorni sereni:
quadriga che con freni
difficili resse l'auriga,
con redini tese nei pugni
ove serpeggiava la fiamma
del sangue sagliente pei fermi
cùbiti ai bicìpiti duri:
quadriga negli Atti più puri
coniata come l'antica
nel rovescio del tetradramma,
segno di potenza ai futuri.

* G. D'Annunzio, *La quadriga imperiale*, in *Laus vitae* (1903), ed.
naz., pp. 349-50.

IL CRIMINE DI CORRADO BRANDO *

«Luce su i culmini sola!» grida la voce dell'Orchestra, con una sonorità trionfale, lacerando il silenzio dell'aspetta-zione, prima che su l'altura scenica il velo si apra. La mia tragedia risponde a quel grido illuminando tutti i culmini. Ella celebra le più ardue vittorie del coraggio umano su la sventura e su la colpa. Ella interpreta con insolita audacia il mito di Promèteo: la necessità del crimine che grava su l'uomo deliberato di elevarsi fino alla condizione titanica; e conferisce non so che selvaggio ardore patetico all'im-peto iterato della volontà singŏla verso l'universale, alla smània di rompere la scorza dell'individuazione per sentir sé unica essenza dell'Universo. Ella afferma ed esalta l'i-stinto agonale come solo creatore di bellezza e di signorìa nel mondo. Ella ricorda alla razza dei Caboto l'antichis-sima sua «vocazione d'oltremare», la sua prima sete d'av-ventura e di scoperta, la gioia di propagare di là da ogni confine lo splendore della patria, l'orgoglio di stampare l'orma latina nel suolo inospite.

---

* G. D'Annunzio, *Discorso introduttivo a «Più che l'amore»* (1907), ed. naz., pp. L-LI.

PER UNA NUOVA ARTE DELLA PAROLA *

La grande arte antica, come la moderna, rifugge dal nero gorgo del cuore e si riduce a rappresentare per segni materiali l'attitudine e il gesto. Quanto poveri sono i segni del più alto poeta in paragone della sua sensibilità, della sua intuizione e del mistero ch'egli respira di continuo! Sembra che per la rappresentazione dell'uomo interiore e delle forze invisibili un'arte della parola debba ancora esser creata su l'abolizione totale della consuetudine letteraria. Comprendo come taluno artista, consapevole di questa necessità, abbia incominciato col sovvertire le leggi grammaticali e specie quelle del costrutto, che impongono alle parole una dipendenza conseguenza e convenienza fittizie. Ma con qual risultato? Le più arcane comunicanze dell'anima con le cose non possono esser colte, fino a oggi, se non nelle pause; che sono le parole del silenzio. La più acuta e la più ricca delle pagine d'introversione appare grossolana e falsa se la esaminiamo non al lume dell'intelligenza ma al calore del sentimento, cercando di sottrarci all'abbaglio delle consuete lustre verbali. Si può affermare che tra la nostra vera occulta vita e la parola elaborata non esiste concordia alcuna. Certi versi divini non ci toccano a dentro se non per la lor virtù musicale: come lettera, essi hanno un significato vano o indistinto.

* G. D'Annunzio, *La Violante dalla bella voce* (1912), in *La Violante dalla bella voce*, a cura di E. De Michelis, Mondadori, Milano 1970, pp. 57-8.

Ecco che la grazia della mia giovinezza entra, senza toccare il pavimento, sollevando piano piano l'arcobaleno.

È la mia magìa, questa?

Davvero dunque la malattia è d'essenza magica?

Tutto è presente. Il passato è presente. Il futuro è presente.

Questa è la mia magìa. Nel dolore e nelle tenebre, invece di diventar più vecchio, io divento sempre più giovine.

Eco di antichi e di futuri tempi.

L'occhio è il punto magico in cui si mescolano l'anima e i corpi, i tempi e l'eternità.

Che debbo terminare?

Che debbo incominciare?

Scopro nelle cose una qualità fisica nuova. Sento in tutto quel che tocco, in tutto quel che odo, una novità ammirabile.

Quali nomi darò alle costellazioni che tremano nelle lontananze del mio dolore?

La parola che scrivo nel buio, ecco, perde la sua lettera e il suo senso. È musica.

* G. D'Annunzio, *Notturno* (1921), ed. naz., pp. 151-2.

«IL PROBLEMA DELLO STILE È DI RAGION CORPORALE» *

Talvolta la poesia è trasmessa da una specie di sostanza senza sostanza, di materia spogliata d'ogni qualità e servigio. talvolta si crea nel punto dove la vita come materia coincide con la vita come spirito.

Una pagina di tal poesia è immarcescibile come il cedro delle fondamenta di Venezia, come il legno dei violini illustri, come la corona del martirio.

Tutto vive e tutto perisce per la forma.

Il problema dello stile è di ragion corporale. taluno scrive col suo corpo intiero. il suo stile è una incarnazione, come nel mito del «Verbum caro factum est» o nel motto del Caravaggio.

* G. D'Annunzio, *Cento e cento e cento e cento pagine del libro segreto di G. D'Annunzio tentato di morire* (1935), ed. naz., pp. 255, 256, 257.

LE INTERPRETAZIONI

IL SUPERUOMO DANNUNZIANO, ESPRESSIONE DEL SUO TEMPO

di Carlo Salinari *

Il superuomo dannunziano, al suo primo apparire, presenta alcune caratteristiche che potrebbero così riassumersi: culto della *energia dominatrice* sia che si manifesti come forza (e violenza) o come capacità di godimento o come bellezza; ricerca della propria tradizione storica nella civiltà pagana, greco-romana, e in quella rinascimentale[1]; concezione aristocratica del mondo e conseguente disprezzo della massa, della plebe e del regime parlamentare che su di essa è fondato; idea di una *missione* di potenza e di grandezza della nazione italiana da realizzarsi

---

* C. Salinari, *Miti e coscienza del decadentismo italiano*, Feltrinelli, Milano 1960, pp.38-40, con tagli.
  Nel suo saggio degli anni Sessanta (del quale le pagine riportate sintetizzano brevemente la tesi) Salinari sottolinea il valore ideologico e il significato storico del mito del superuomo.
[1] Acutissima a questo proposito *un'osservazione di Gramsci*: «Il libro di Burckhardt fu interpretato diversamente in Italia e fuori d'Italia. Uscito nel 1860, ebbe risonanza europea, influenzò le idee di Nietzsche sul superuomo e per questa via suscitò tutta una letteratura, specialmente nei paesi nordici, su artisti e condottieri del Rinascimento, letteratura in cui si proclama il diritto alla vita bella ed eroica, alla libera espansione della personalità senza riguardo a vincoli morali. Il Rinascimento si riassume così in Sigismondo Malatesta, Cesare Borgia, Leone X, l'Aretino, con Machiavelli come teorico e, a parte, solitario, Michelangelo. In Italia D'Annunzio rappresenta questa interpretazione del Rinascimento.» (*Il Risorgimento*, Einaudi, Torino 1949, p. 13).

soprattutto attraverso la *gloria* militare; giudizio totalmente negativo sull'Italia post-unitaria e necessità di energie nuove che la sollevino dal fango; concetto naturalistico, basato sul sangue e sulla stirpe ed altri elementi fisici, sia della nazione che del superuomo destinato a incarnarla e a guidarla.

Bisogna riconoscere che questo superuomo non ha avuto molta fortuna presso i critici. È vero che esso è servito di pretesto alle esercitazioni encomiastiche e *patriottiche* di tanta parte della critica e della agiografia dannunziane, in specie nel periodo fascista, ma è anche vero che — quasi a contrasto — proprio in quel periodo venne scoperto un nuovo profilo del poeta abruzzese meno eroico e *solare*, più intimo e discreto, magico e *notturno*, congeniale insomma alle esperienze ed al gusto della nostra letteratura più recente. E non è meno vero che i *classici* della critica dannunziana, i Croce, i Gargiulo, i Flora, non hanno esitato a fare giustizia sommaria del superuomo e della sua ingombrante morale eroica.

Tuttavia quello che stupisce non è il giudizio estetico, di valore, sulle opere ispirate da una simile concezione (giudizio totalmente negativo, senza appello), ma il fatto che il superuomo possa essere stato considerato una sorta di capriccio letterario, di sovrapposizione esterna, di astrazione intellettualistica di un D'Annunzio che non si sarebbe rassegnato ad essere un poeta che esprime soltanto «il più profondo linguaggio del mondo fisico»[2]. Il Gargiulo nel suo volume, che rimane, forse, ancora oggi, l'opera più completa sul Nostro, e che venne scritto, si badi bene, nel 1909, e pubblicato nel 1912 alla vigilia della guerra mondiale, trova del tutto inverosimile «che un uomo normale ed equilibrato senta oggi in se stesso delle energie barbariche dirette alla conquista del potere politico, all'assoggettamento violento ed allegro delle plebi; che egli le riconosca come energie genuine di razza, miracolosamente conservate; che le veda convergere ad un ideal tipo di latinità (ma che razza di latinità

---

[2] Cfr. A. Gargiulo, *G. D'Annunzio*, Perrella, Napoli 1912, p. 227.

sarebbe mai questa?). Più assurdo ancora è però che un tale uomo, accogliendo alla lettera la dottrina di Nietzsche, pensi di coordinare le proprie energie al raggiungimento di questo fine: conquistare Roma»[3]. E conclude crocianamente (e giolittianamente) che ogni persona razionale «dovrà accorgersi per forza che sono astrattezze belle e buone il ripudio assoluto della morale dominante, il predominio violento sugli uomini e quell'aspirazione ad essere, fragorosamente, un vincitore, un distruttore, un creatore. Si convincerà di questa verità molto semplice: che si è vincitori, distruttori, creatori, eroi, superuomini, nell'esercizio della volontà razionalmente applicata, pur nelle più umili condizioni esterne di esistenza»[4]. E non si accorgeva crocianamente e giolittianamente del turbine che stava per travolgere l'Europa e dei superuomini violenti, tirannici e distruttori che stavano per apparire sulla scena politica.

Al contrario, oggi, il critico che si accinga a una valutazione storica e scientifica dell'opera dannunziana, lungi dallo sbarazzarsi del superuomo come fosse un intruso, è portato ad esaminare da vicino gli elementi che lo compongono, per rendersi conto della loro reale portata nella personalità del D'Annunzio. Ed è messo sull'avviso dal fatto che lo scrittore abruzzese considerava apertamente questo periodo come il punto d'arrivo della sua evoluzione e dei suoi *esperimenti* precedenti (...), che il periodo superomistico non si esaurisce rapidamente come altri *momenti* ma abbraccia la totalità della produzione posteriore del nostro (compresa quella *notturna*), che a questo periodo appartengono, accanto ad opere definitivamente condannate, alcune opere che la critica, concordemente, è portata a salvare, anzi ad ammirare, che il superuomo non nasce isolato ma all'interno di un movimento che comprende le due riviste più importanti degli ultimi anni del secolo, il «Convito» di Roma e «Il Marzocco» di Firenze (nel periodo in cui veniva diretto ad Angiolo Orvieto,

[3] Ivi, p. 230.
[4] Ivi, pp. 227-8.

s'intende), che esso corrisponde evidentemente ad orientamenti profondi dello spirito pubblico italiano del tempo e non a caso sorge in un momento di crisi acuta della società italiana, alla fine della *dittatura* crispina e alla vigilia della sconfitta di Adua.

LA CONQUISTA DELL'ORAZIONE

di Marziano Guglielminetti *

Nel '95, D'Annunzio pubblica *Le vergini delle rocce*. Il nuovo romanzo dovrebbe por fine ai suoi esperimenti in cerca della forma narrativa adatta, fra quelle esistenti, per comunicare la sfiducia nella realtà normale; dovrebbe progettare, nello stesso tempo, l'avverarsi della realtà promessa al superuomo. Strutturalmente il distacco dai moduli del romanzo naturalistico si fa ancor più accentuato che nel *Trionfo della morte*. La partizione della materia, ad esempio, è solo quella offerta dai «libri», perché scompare ogni divisione in capitoli: il passaggio da un momento all'altro della vicenda è pausato da stacchi tipografici. Così, sebbene in dimensioni non troppo sensibili, data l'esiguità della vicenda e la brevità della trama, il respiro narrativo del romanzo tende a comporsi secondo cadenze più lunghe e melodiche di quelle garantite dal taglio dei capitoli, condotto secondo la successione meccanica dei fatti. In concomitanza la dimensione temporale della stagione, costante nei due ultimi romanzi, non viene sfruttata solo per favorire indugi descrittivi. Favorisce, piuttosto, il primitivo allargarsi e successivo ricomporsi

* M. Guglielminetti, *Il romanzo del Novecento italiano. Strutture e sintassi*, Editori Riuniti, Roma 1986, pp. 38-42, con tagli.

Nella sintassi oratoria trova sbocco, come dimostra Guglielminetti, la ricerca di D'Annunzio di un suo modulo narrativo, in contrapposizione alla forma-romanzo della tradizione ottocentesca.

dell'arco di durata degli avvenimenti, fino a superare ogni contingente limitazione di ore e di giorni. Esiste poi, ad apertura di romanzo, un prologo, nel quale il protagonista, Claudio Cantelmo, annuncia la sua decisione di dare personalmente inizio ad una nuova stirpe di uomini forti, cominciando a scegliere la moglie fra le principesse della nobile famiglia siciliana dei Capece Montaga: quasi che l'autore si sentisse in dovere di avvertire che il corso degli eventi avrà il compito di portare a termine la dimostrazione della necessità di questa scelta. Il lettore è subito invitato a capire che quanto accadrà non comporta una serie di azioni scandite dalla cronologia: è, invece, la conseguenza di un gesto scaturito dalla volontà del personaggio principale e alla fin fine consumato in un istante, per quanto modulato ed amplificato possa sembrarci attraverso i libri che compongono *Le vergini delle rocce*.

Non a caso la sintassi narrativa del romanzo non è in grado di registrare alcuna cronologia nel succedersi delle azioni. Dopo il *Piacere* i tempi verbali impiegati si sono ristretti sempre di più a quelli storici dell'indicativo; adesso diventano dominanti, fino ad escludere la presenza di altri, e rendere impossibile ogni distensione nel tempo di organizzazione del racconto. Ha minore importanza, ciononostante, il fatto che il resoconto del progetto nuziale di Claudio sia situato nel passato; allo stesso titolo potrebbe essere realizzato nel presente o nel futuro, se il trasferimento in un tempo ormai accaduto non contribuisse a fare sentire meglio la nobiltà remota, quasi arcaica, del desiderio di dar origine ad un nuovo tipo di umanità. Infatti, se le azioni non si susseguono per qualche combinazione necessaria (Claudio si reca a Trigento soltanto per attuare il suo particolare disegno di nozze, e trascorre poi il resto del tempo narrativo messo a sua disposizione nell'attesa di scegliere una delle tre sorelle), l'energia attiva insita nel verbo perde ogni significato. È da supporre, allora, che l'attenzione dello scrittore valorizzerà altre possibilità del linguaggio, se non della grammatica.

Un'esplicita dichiarazione di Claudio mette sull'avviso: «caldi getti d'eloquenza e di poesia m'inondavano all'improvviso, cosicché all'anima traboccante il silenzio talvolta era grave»[1]. La parola prende spicco e rilievo, ma solo in quanto pronunciata; il dialogo ha l'aspetto dell'orazione a due o più voci; il discorrere stesso, in prima persona, del narratore si atteggia come un arringare. Le teorie razziste, ricavate con molta presunzione dal *Così parlò Zaratustra*, non vengono inserite nell'area narrativa ad interrompere lo svolgimento dei fatti, alla maniera sperimentata infelicemente nel *Trionfo della morte*. Diventano motivo per lunghe orazioni, messe in bocca al protagonista e da questi recitate a voce spiegata, se pure in uno spazio di comunicazione il più delle volte deserto d'interlocutori, o popolato da fantasmi d'un mondo aristocratico ormai crollato ed infranto, come quello dei seguaci dei Borboni. Lo stesso Claudio Cantelmo è personaggio del tutto fittizio, senza connotati individuali o culturali, persino senza profilo fisico, quasi che la sua unica consistenza fosse quella segnata dalle sue parole di banditore del verbo di rinnovellamento dell'«ideal tipo latino» sognato da D'Annunzio, ma non espresso sinora da lui in discorsi o in comizi tanto per un residuo di pudore personale, quanto per la mancanza di occasioni pratiche giustificatrici [...]. L'importanza delle *Vergini delle rocce* sta nel manifestare finalmente la non disponibilità di D'Annunzio ad altre soluzioni di compromesso col romanzo naturalistico dopo quelle esperimentate in precedenza. Se falsa è la prospettiva storica di questo romanzo, se fantasioso è lo sfondo paesistico [...] ad entrare in crisi, ad essere messo in discussione, è soltanto un certo tipo di romanzo naturalistico, accettato provvisoriamente nel *Piacere*, e poi sottoposto a deformazioni nel *Giovanni Episcopo*, nell'*Innocente*, nel *Trionfo della morte*. Insomma, se *Le vergini delle rocce* non segnano un punto d'arrivo nella narrativa di D'Annunzio, ne determinano tuttavia la svolta più radicale e coraggiosa.

La scoperta dell'orazione, come del tramite stilistico capace di dar forma acconcia alla propria visione del

---

[1] *Le vergini delle rocce*, in *Romanzi e Novelle*, Milano 1955, p. 423.

mondo, non è subito sfruttata nelle sue possibilità sintattiche. Non favorisce l'adozione del discorso diretto libero come modulo di racconto, visto che di un discorso indiretto libero si è visto non essere stato possibile parlare nei romanzi di D'Annunzio, così prepotentemente modellati dalle sue esigenze comunicative e retoriche. Per il momento, la suggestione di questo discorso è vivace a livello di tutta una serie d'interventi definiti, manualisticamente, come oratori. Si ha il panegirico del presunto avo rinascimentale del protagonista (Alessandro Cantelmo, amico di Leonardo), l'elogio degli uomini illustri (Socrate, Cristo, Dante, San Francesco, ecc.), l'epicedio in prosa ritmata per la morte d'un sovrano (Ferdinando di Borbone), l'invettiva contro i politici democratici e i borghesi arricchitisi colle industrie, la salmodia liturgica elevata alla dea Bellezza. L'orazione, intesa ed espressa con simile dovizia di applicazioni, finisce per occupare tutto lo spazio del romanzo e costituirne la nuova intelaiatura, che continueremo a chiamare narrativa, malgrado il significato diverso assunto, di solito, da questo aggettivo. La narratività, lasciata intuire nelle *Vergini delle rocce*, non comporta alcuna fiducia nel collegarsi e nel progredire degli avvenimenti. Suppone che, se avvenimenti avranno da esservi, saranno le trasfigurazioni dell'ideologia solennemente profetizzata nei vari modi di orazione dispiegati durante il romanzo. Lo spettacolo consueto del reale non è soltanto più svuotato dall'interno, come succedeva per via comparativa od analogica negli altri romanzi, ma si trova immerso quasi di colpo nell'oscurità totale delle cose che non hanno motivi sufficienti per esistere. [...]

Nel romanzo successivo, *Il fuoco*, apparso nel 1900, l'impiego dell'orazione si estende fino a farne il modulo adeguato alla visione delle cose affermatesi coll'accettazione della teoria del superuomo. La struttura compositiva, esaminata nelle *Vergini delle rocce*, oltre a garantire subito a D'Annunzio la non esistenza di una partizione cronologica negli avvenimenti inventati, gli concedeva in cambio la possibilità di prefigurare in ciascuno d'essi la totalità di esperienze estetiche e sentimentali consegnata complessivamente a ciascuno degli altri. Infatti, una volta letta la prima parte del romanzo, *L'epifania del fuoco*, è difficile sottrarsi all'impressione che non vi debba essere una conseguenza di carattere sentimentale alle idee sostenute dal protagonista, il poeta e drammaturgo Stelio Effrena. Ne sarà vittima, difatti, Foscarina, l'attrice tragica innamorata perdutamente delle prolusioni pseudo-filosofiche e delle creazioni poetiche di Stelio. Non solo; ma questa prima parte dilata talmente l'episodio seguente della conferenza tenuta da Stelio nella Sala del Maggior Consiglio del Palazzo dei Dogi di Venezia (e nella realtà recitata dall'autore un anno prima) che rimane difficile pensare a qualche atto successivo, capace di sciogliere protagonisti e paesaggi dall'incanto avvincente e fascinoso della parola evocatrice. Perché poco importa, nel *Fuoco*, se la parola sia attribuita direttamente a Stelio, o se, riportata come informazione indiretta, sia rivendicabile al narratore, che ritorna ad esprimersi in terza persona. L'opposizione fra attore ed autore del romanzo, rivolta finora a vantaggio del primo, qui è finalmente superata, senza il bisogno di ricorrere al racconto in prima persona, impiegato nelle *Vergini delle rocce*. Autore ed attore parlano nello stesso linguaggio oratorio, e perciò racconto e dialogo si intrecciano con tale interscambiabilità, da non rendere nemmeno necessaria, talora, l'inserzione dei «verba narrandi», utili per segnalare il passaggio fra gli intervalli di questi due momenti del narratore tradizionale. E quando poi il dialogo sembra farsi troppo serrato e conciso, per non sospettarlo diventato mimetico della conversazione quotidiana (al pari di quanto accadeva ancora nel *Trionfo della morte*), è spesso offerto il mezzo di leggerlo come se imitasse la sticomitia del teatro antico. Ogni sua frase diventa parte di un'ulteriore orazione a due o più voci, da recitarsi secondo le divisioni grafiche abituali nelle battute dei copioni o degli spartiti recitati in maniera corale. Egualmente esauriti appaiono in questo romanzo, in quanto fonti autonome d'informazione e di documenti, altri espedienti consueti nella narrativa precedente: i pensieri diretti del protagonista, ad esempio, ma anche lettere a lui dirette e da lui sfogliate, in genere per accertarsi della condizione sentimentale della donna che gli sta accanto. Ora, senza più distinguersi rigidamente, pensieri diretti e lettere entrano a far parte di quel fiume gonfio e lutulento, nel quale si potrebbe figurare il nuovo corso oratorio imboccato dal romanzo dannunziano.

UNA POETICA DEL SIMBOLO
di Ezio Raimondi *

La cauta o, come doveva poi dire il Lucini, astuta conversione dannunziana a un simbolismo per così dire biologico e antiplatonico, di una «rêverie», immersa nel corpo e nei suoi viluppi di sensazioni, non giunge improvvisa perché è già annunciata dal *Piacere*, il romanzo della stagione estetizzante e del *décor* parnassiano, dove la sigla naturalistica si ricompone in scenografia, in diario sentimentale della décadence umbertina, come un «racconto di Hoffmann erotico», vorrebbe Andrea Sperelli, «scritto con la precisione plastica di un Flaubert». Uno dei caratteri più vistosi dei romanzi dannunziani, quasi una costante che unifica le diverse formule narrative e i loro modelli di conflitto drammatico, è la figura del personaggio principale, che risulta sempre un tipo di artista, un raffinato sensitivo che si studia e si osserva, che sente con straordinaria acutezza il proprio rapporto con le cose e si compiace di analizzarlo, di inseguirlo nel labirinto della memoria. Anche la natura è vista di solito con il suo occhio, che poi, si capisce, è una proiezione, una maschera dello scrittore. Ciò permette di leggere ogni romanzo

* E. Raimondi, *Dal simbolo al segno*, in *Il silenzio della Gorgone*, op. cit., pp. 124-7, con tagli.
Con una lettura attenta ai minimi indizi testuali, Raimondi evidenzia nei primi romanzi i precoci annunci della «conversione» dannunziana al simbolismo.

131

come una sorta di poetica o di riflessione sui processi interni della sensibilità, per quanto appaia chiaro che essa viene sceneggiata e reificata, tradotta nel linguaggio dell'eloquenza che vuole sublimare, così, uno stato d'animo creativo e renderne partecipe il lettore. Ora se si prende il *Piacere*, si vede sin dalle prime pagine che il gioco introspettivo del protagonista si sdoppia in una poetica delle corrispondenze, della specularità emotiva tra oggetto e soggetto:

Gli spiriti acuiti dalla consuetudine della contemplazione fantastica e del sogno poetico danno alle cose un'anima sensibile e mutabile come l'anima umana; e leggono in ogni cosa, nelle forme, ne' colori, ne' suoni, ne' profumi, un simbolo transparente, l'emblema d'un sentimento o d'un pensiero; ed in ogni fenomeno, in ogni combinazione di fenomeni credono indovinare uno stato psichico, una significazione morale. Talvolta la visione è così lucida che produce in questi spiriti un'angoscia [...].

È inutile avvertire, tanto il ricordo è palese, che i colori, i suoni e i profumi riproducono la triade di *Correspondances*, così come risulta evidente, nello stesso tempo, che l'effetto dannunziano si limita a una «rêverie» associativa, più vicina se mai, per citare ancora Baudelaire, alla *Chambre double*. Senonché, una volta riconosciuto il suo salto di potenziale fantastico, bisogna anche prendere atto della presenza doviziosa di questo motivo lungo tutto il romanzo, dal «paesaggio» intorno allo Sperelli che «divenne per lui un simbolo, un emblema, un segno, una scorta che lo guidava a traverso il laberinto interiore» alle «segrete affinità» che «egli scopriva tra la vita apparente delle cose e l'intima vita de' suoi desideri e de' suoi ricordi», dalla «rispondenza» che trasfigura il reale in «imagine sognata della scena reale» e in ombra di una «vita anteriore» alla «concordia dei profumi illanguiditi dall'Autunno» che pare «come lo spirito e il sentimento di quello spettacolo pomeridiano» o alla «visione» di una «luce ideale, come uno di quei paesaggi sognati in cui le cose paiono essere visibili di lontano per un irradiamento che si prolunga dalle loro forme». Né si deve dimenticare, nella sfera dei termini e dei concetti complementari, la «fluidità sentimentale in cui si riceve ogni movimento, ogni attitudine, ogni forma delle vicende esterne, come un vapore aereo dalle mutazioni dell'atmosfera», il sogno che «suggerivano le apparenze delle cose», l'«irradiamento chimerico», la «selva simbolica che fiorisce e fruttifica perpetuamente contemplando l'Infinito», la «sensazione magnetica» di un «elemento neutro del nostro essere», l'«allucinazione» del «moto dell'anima fittizio e fuggevole», il «torpore quasi direi veggente» di una «creatura diafana, leggera, fluida, penetrata d'un elemento immateriale, purissima», i «gruppi di sensazione» simili a «grandi fantasmagorie in un'oscurità», la «fascinazione» dell'«irreale» e del «fuor del mondo». Come si scorge dallo stesso lessico, l'orchestrazione suggestiva del *Piacere* rimanda al *Poema Paradisiaco* e alla musica del «simbolo occulto», dell'anima che «risponde alle cose» e che è «in ogni cosa», della «foresta dei ricordi» e delle «apparenze lontane» nel «profondo impero del sogno».

La stagione analitica del *Giovanni Episcopo* e dell'*Innocente* comprime per forza la tematica delle corrispondenze, ma vi aggiunge in compenso una carica nevrotica, un gusto più acre e più fisico dell'allucinazione, per cui il «fascino delle cose simboliche» si accompagna a una «vibrazione allucinante» e i «frammenti della vita passata» si decompongono nella «discontinuità delle immagini», mentre l'«attenzione» nel «riafferrare il significato vero delle cose» e il loro «simbolo» intermittente giunge sino al «malessere». È una «stupefazione», come sperimenta il protagonista dell'*Innocente*, che riscopre «la disperata sincerità delle parole: *Dovunque, fuori del mondo*», cioè, ancora una volta, Baudelaire, quello di *Any where out of the world* già caro a Huysmans. Tuttavia bisogna attendere il *Trionfo della Morte* perché si dia finalmente il romanzo della musicalità e della squisitezza simbolica, con il programma ambizioso di una «prosa plastica e sinfonica, ricca d'imagini e di musiche», che alterni «le precisioni della scienza alle seduzioni del sogno» non per «imitare ma per continuare la Natura», e rinnovi la «virtù suggestiva e commotiva» delle sillabe nel loro combinarsi in «suoni composti». Se nei romanzi precedenti l'ipotesi del simbolismo nasceva da un'affinità mentale piuttosto che da una consapevolezza di cultura, nel *Trionfo della Morte*, dove non per nulla rifluiscono molte delle riflessioni critiche del '92-93, essa si organizza come una prospettiva compatta al lume della nuova situazione francese abilmente reinterpretata negli schemi illustri del discorso umanistico. Il rischio, naturalmente, è che essa si cristallizzi in una cifra letteraria commisurata a un pubblico medio borghese e si converta così in un espediente di suggestione, in un processo di eccitazione e di complicità, dice l'Anceschi, nei confronti del lettore, coinvolto nel cerchio magico di una parola che si esalta definendosi come simbolo e come rito dell'eloquenza orfica. Ma un lettore di gusto europeo come il Giacosa, oramai libero dai paradigmi naturalistici, riconosceva a questo D'Annunzio «francese» il merito, che per noi si converte in un problema critico, di aver fatto delle *«abracadabrances* spesso inintelligibili» dei decadenti «un'opera d'arte chiara, nitida, risplendente, piacevole».

Ad ogni modo, nel *Trionfo della Morte* vengono in primo piano tutte le parole chiave della cultura simbolistica, con una tonalità entro cui si avvertono i fermenti di rapporti inventivi più personali. Non si pensa tanto alla «selva di simboli», al «cielo di pure astrazioni», che in fondo servono solo a qualificare un'«anima religiosa, inclinata al mistero», quanto alla «simpatia» con le cose, alla «facilità» di «comunicare con tutte le forme della vita naturale e di trovare infinite analogie tra le esperienze umane e gli aspetti delle cose più diverse», al tendersi dell'«attenzione» per «rintracciare qualche viva rassomiglianza tra il suo essere e la natura circostante», ai «segni ed emblemi d'un'altra vita» sotto la «superficie opaca» della coscienza, al «frammento visibile d'un mondo allegorico ideato da un teurgo». Ma non sono certo meno rappresentative la «suggestione silenziosa» delle cose nel «flusso delle sensazioni», l'«attesa» di un'«apparizione», la ricerca «nell'universo interiore dell'anima» dell'«essenza reale delle cose», l'ombra dell'«inesistenza», l'immagine «involontaria» di una «follia temporanea» dall'«effetto simile a quello di certe sostanze che, come l'oppio e l'hashish, portano l'intensità dei sentimenti e delle idee al grado delle allucinazioni». La simbiosi con l'arte wagneriana, da cui dipende anche l'iniziazione al «ritmo» e al «mistero» di un antico rituale ctonico, allarga le corrispondenze analogiche delle «sinfonie crepuscolari», delle «essenze nascoste» e dei «simboli immateriali» dove la luce è musica e la musica luce, dove i «colori» e i «profumi» fluttuano tra i suoni, e acuisce il brivido confuso delle percezioni alle soglie di un universo «chimerico» interno all'uomo: dall'«odore e il pallore di qualche primavera dissepolta», che poi è una citazione del *Poema Paradisiaco* si giunge così al «fiato della primavera» che esalano «due mazzi di violette» e al «profumo stridulo e pur molle» di una pelle giovane. Questo può accadere, spiega lo stesso scrittore, perché «sul fondo diffuso della sensibilità organica, già rischiarato dai cinque sensi» intervengono «altri sensi intermedii» le cui «percezioni sottilissime» rivelano un «mondo sconosciuto» di «associazioni» strane e rare. Allora i «piccoli fatti» acquistano «una significazione precisa, indipendente dalle apparenze», le sensazioni minime invadono la memoria con «le voci rare dei passanti nella strada, il ticchettio dell'orologio su la parete, i rintocchi d'una campana lontana, lo scalpitare d'un cavallo, un fischio, lo strepito d'una porta sbattuta», e vi risvegliano la «vita fantastica», la «favola» allucinata di un «veggente» immerso in una «corporale stupefazione». [...]

IL FUTURO ESORCIZZATO

di Vittorio Roda *

Ad un'indagine superficiale, l'esperienza dannunziana del futuro sembra muovere in una direzione antitetica, improntata com'è, si direbbe, non al disdegno ma all'accettazione e persino, nell'ambito della tematica superomistica, all'idoleggiamento. Il futuro è l'elettiva dimensione temporale del superuomo, lo spazio deputato ad ospitarne le nuove tavole di valori ed i disegni palingenetici, che la mediocrità del presente è inadatta a far fruttificare. All'attualità esso si contrappone come il polo positivo al negativo, come valore a disvalore, e tanta forza d'attrazione sembra esercitare sul D'Annunzio quanto intensa ed inappellabile è la repulsione ispiratagli dall'oggi. Se l'apparenza è tale, la realtà è ben diversa, e, esaminata a fondo, lascia trasparire ancora una volta, di sotto la chiassosa finzione energetica e superumana, l'effigie d'un uomo che il distacco e il nuovo riempiono di sgomento. Non che «il desiderio dell'ignoto» e d'un «mitico progresso»[1], aprendosi una breccia nella monoliticità

---

* V. Roda, *La strategia della totalità*, Boni, Bologna 1978, pp. 65-7, 75-7, con tagli.

Il radicamento nel passato, in termini psichici e ideologici, rappresenta secondo Roda la caratteristica saliente della personalità di D'Annunzio e dei suoi alter ego letterari.

[1] N. Ciarletta, *Considerazioni sul D'Annunzio*, in *L'arte di G. D'Annunzio*, Mondadori, Milano 1968, p. 101.

dell'appello regressivo, non tenti talora e non attiri lo spirito del D'Annunzio, ma la tentazione si carica di sensi di colpa e l'attrattiva è l'ambigua attrattiva delle cose proibite e angoscianti. L'angoscia è denunciata da due indizi infallibili: l'iperbolica mobilitazione psicologica che il pensiero del futuro scatena nel D'Annunzio e l'enfatizzazione dei cimenti e dei rischi di cui esso è presunto portatore. Entrambi sono presenti nel primo luogo dove lo scrittore si misura con la categoria dell'avvenire, (*C. novo*, libro IV, II) luogo che fornisce lo schema a buona parte dei successivi, diviso com'è fra l'apparenza d'una titanica proiezione in avanti e la sostanza d'una malcelata ritrosia, che ha il potere di disabbellire il futuro d'ogni lusinga, d'impregnarlo d'un'anomala tensione:

Me attende una torva battaglia, me forte recluta
un fratel ritto sovra gli spaldi chiama:

ode ei cupi rantoli di strozze fameliche, a 'l fondo
come un brulichìo turpe di vermi umani;

ode ei singulti di laceri petti, infantili
gemiti, aneliti, misere bestemmie...

Non più sogni, non ozii. L'azza sfavilli ne 'l pugno
salda; guardi l'occhio vigile a l'avvenire.

Le immagini, di pessimo gusto, muovono dal repertorio naturalistico, come ad echi naturalistici rimandano il «falso democraticismo»[2] e l'accenno finale all'avvenire. Ma ciò che importa e che investe il luogo comune di risonanze fortemente subiettive è l'inquieto sentire dell'adolescente, che popola il futuro di cimenti così temibili ed amari («una torva battaglia») da esigere, per essere affrontati, un'estrema concentrazione delle forze dell'io. Concentrazione sottolineata dalle energiche anafore in apertura di verso («ode ei», «ode ei»; «non più», «non») e in

[2] P. Pinagli, *Lettura del «Canto novo»*, in «Quaderni dannunziani», fasc. XXXIV-XXXV, 1966, pp. 558 e 564.

ispecie dal duplice accusativo pronominale («Me... me»)
che, se mette in eccezionale rilievo l'attitudine agonistica
dello scrittore, ne scandisce anche l'inquieta fatica e l'oppressione sotto un carico difficile a sostenersi. Un'inquietudine identica quanto al movente (le future «pugne») e
quanto all'intrinseca complicazione è definita altrove (*C.
novo*, libro V, VIII) «feroce angoscia»: ossimoro felicis-
simo, che mette a fuoco la contraddittorietà d'un sentimento dove l'«angoscia» rifiuta di riconoscersi per tale e
non ammette di manifestarsi se non in forme di fittizio
energetismo, e la «ferocia» non vale per sé ma come compensazione e diremmo ipercorrezione dell'angoscia.

Se, *a parte subiecti*, l'esorcizzazione del futuro implica
la sofisticazione della propria reattività psicologica, essa
prevede *a parte obiecti* un'ulteriore forma di sofisticazione, consistente nello svuotare dall'interno, pur mante-
nendone il nome e l'apparenza, il concetto di futuro, al
quale taluni accorgimenti difensivi dettati dall'inconscio
timore del nuovo conferiscono un significato lontano dal
proprio o non coincidente per intero con esso. Il fenomeno si riscontra, più che altrove (e per ragioni intuibili)
negli scritti superumani: dove gli accenni al futuro e gli
stessi lessemi di «futuro» e «avvenire» figurano con una
frequenza certamente non casuale accoppiati a riferimenti al passato, cui è affidato l'incarico di bilanciarne,
attenuarne e finanche annullarne il potenziale concettuale e semantico di novità, di rottura col dato. [...]

Il fatto è che col superuomo il D'Annunzio non pro-
pone il paradigma d'un'umanità nuova, sebbene s'illuda
od affetti di farlo, ma riesuma tipi umani e valori già da-
tisi in una storia più o meno liberamente interpretata, secondo un criterio applicato primamente nel *Trionfo della
morte*, dove il superuomo non è un astratto modello di
eroe ma l'«uomo forte» dell'antico Abruzzo o (niccia-
namente) il greco d'età pre-socratica[3], e che si prolunga sino
ai Flamma, agli Effrena ed ai Tarsis, epifenomeni dell'a-

---

[3] *Trionfo della morte*, in *Prose di romanzi*, I, Mondadori, Milano
1964, pp. 950-61.

138

nima della razza. Cosicché la dimensione temporale entro la quale il superuomo trova i propri corretti referenti e termini di giudizio è quella del passato, mentre il futuro lo trasporta forzosamente in uno spazio che non gli si conviene, e che denuncia la sua improprietà, oltre che nella sequenza d'aporie registrate or ora, nell'attitudine d'evidente disagio alla quale costringe un personaggio geneticamente impossibilitato a sradicarsi dal preesistente e a determinarsi in libertà di giudizio e d'azione. La contraddizione, che si traduce in falsità psicologica e in disarmonia artistica, fra spazio naturale (il passato) e spazio volontaristico (il futuro) dell'eroe è tipica d'una mentalità, qual è quella del D'Annunzio, portata a contrabbandare le proprie componenti nichilistiche per fattori di forza. Nondimeno, essa trova una qualche forma d'autorizzazione nel modello nicciano, tutt'altro che univoco nell'assegnare all'Übermensch la propria localizzazione storica, o se si vuole, univoco solamente nell'allontanarla verso gli estremi del tempo: se Zarathustra proietta il superuomo verso il futuro, presentandolo come grado più avanzato dell'evoluzione[4], nell'*Anticristo* termine dell'evoluzione è l'uomo, e il superuomo formazione già prodottasi nel passato, sebbene sporadicamente:

Il problema che io pongo qui non riguarda il posto che l'umanità deve prendere nella serie successiva degli esseri (— l'uomo è una *fine* —): bensì quale tipo umano deve essere *allevato*, deve essere *voluto*, in quanto tipo di superiore valore [...] Questo tipo di superiore valore è già esistito abbastanza spesso:

[4] «Io v'insegno il superuomo. L'uomo è qualche cosa che deve essere superata. Che cosa avete fatto voi per superarlo?

Finora tutti gli esseri hanno creato qualche cosa al disopra di sé: e voi volete esser il riflusso di questa grande marea e, invece di superare l'uomo, volete tornare alla bestia?

Che è la scimmia per l'uomo? Un oggetto di riso o una dolorosa vergogna. E proprio la stessa cosa dev'essere l'uomo per il superuomo: un oggetto di riso o una dolorosa vergogna». (*Così parlò Zarathustra*, in *Opere*,I, ed. cit., Casini, Roma 1955, p. 369).

come caso fortunato, però, come eccezione; mai come *qualcosa di voluto*[5].

Fanno da corollari al procedimento applicato alla categoria del futuro lo svuotamento e la dislocazione semantica, motivati dal medesimo tipo di resistenza psicologica, di quante nozioni implichino il distacco dal dato, quand'anche si presenti nella forma dell'arricchimento o dell'evoluzione: da «novità» a «creazione», da «invenzione» ad «apprendimento», da «generazione» a «progresso». «Novità» e «nuovo» subiscono uno spostamento semantico che surroga l'idea, implicita in entrambi, di frattura col preesistente coll'idea opposta di ripristino della continuità storica, portandoli a valere, all'incirca e rispettivamente, «restituzione dell'antico» e «riportato all'antico». E l'essere sovente accoppiati, mediante copulative autentiche o mascherate da disgiuntive, con termini semanticamente antitetici («vecchio», «antico», «originale»...) ha una parte importante nello scolorirli sino ad annullarne il valore primitivo. Il fenomeno ha il suo massimo livello d'incidenza negli scritti superumani, dove con più insistenza l'accento cade sul futuro e sul nuovo, e più forte si fa sentire, di riflesso, la necessità d'una contro-spinta regressiva.

[5] F. Nietzsche, *L'Anticristo*, in *Il Caso Wagner, Crepuscolo degli idoli, L'Anticristo, Ecce homo, Nietzsche contra Wagner*, Adelphi, Milano 1970, p. 169.

STRUTTURE E SIMMETRIE ALCIONICHE

di Giorgio Luti *

[...] La ghirlanda dei *Madrigali dell'estate* si presenta come una delle sezioni di maggior interesse dal punto di vista della costruzione simmetrica. È facile individuare, infatti, accanto all'unità tematica e tecnica della serie (la contemporaneità della stesura e la progressione concatenata), l'intenzionalità dannunziana nel disegno simmetrico che conduce all'interno della ghirlanda la partizione in due gruppi paralleli, preceduti da una introduzione che stabilisce il tema fisso (*Implorazione*) con caratteri d'insistente iterazione («Estate, Estate mia non declinare» — «Estate, Estate indugia a maturare»; «Fa che prima nel petto [...] — «Fa che il colchico dia [...]»; «Forte comprimi [...]» — «Soffoca, Estate [...]») e con l'uso costante del raddoppiamento consonantico per connotare la pienezza estiva come timbro di partenza (petto, scoppi, troppo / grappoli, oppi / soffoca, mammelle, tinelle).

I restanti dieci madrigali si suddividono, come abbiamo detto, in due gruppi, ciascuno impostato secondo una intuibile progressione: una proposta introduttiva (*La sabbia del tempo* nel primo gruppo, *L'incanto circeo* nel

* G. Luti, *Strutture e simmetrie alcioniche*, in *La cenere dei sogni*, Nistri-Lischi, Pisa 1973, pp. 104-11, con tagli.
Con una lettura strutturalista di tono medio Luti mette in luce i caratteri formali, le simmetrie lessicali, metaforiche, timbriche, i riferimenti transfrastici della ghirlanda dei madrigali di *Alcyone*.

secondo) che amplia al massimo la suggestione di base, e quattro madrigali in serie, secondo un piano di sviluppo temporale (nel primo gruppo dedicato all'avventura sul Motrone, ricollegabile al tema di *Stabat nuda Aestas*) e di sviluppo spaziale (nel secondo gruppo, mediante una toponomastica progressiva: la costa tirrenica, la spiaggia, il fondo marino, la palude, la Grecia del mito). Nel primo gruppo la connotazione cronologica è sempre posta in apertura del madrigale («sol calando», «All'alba», «A mezzodì», «In sul vespero»); nel secondo la localizzazione, anch'essa enunciata nella parte iniziale del madrigale, è alternata fra primo e secondo verso («Su la docile sabbia», «sul cammin della Sirena», «Nella belletta», «nelle vigne dell'Acaia»). È evidente che, per la prima serie, l'evocazione dell'avventura è impostata secondo lo schema dell'arco giornaliero, con una progressione alla quale corrisponde, nella seconda serie, l'ampliamento progressivo dello spazio visivo: dalla spiaggia alle profondità marine, ai presagi di morte della palude, all'autunno mitico di una terra lontana.

La funzione simmetrica del rapporto tempo-spazio nelle due serie parallele della ghirlanda è facilmente documentabile, ma altri elementi simmetrici sottolineano l'impegno architettonico anche nell'organizzazione delle singole sezioni. Si pensi, nel caso dei madrigali, all'uso pronominale: l'impiego costante della prima persona contraddistingue la prima serie, dopo la proposta iniziale di una dimensione generalizzante («il cor sentì», «il cor m'assale», «il cor mio palpitante»). Nella seconda serie la proposta del tema spaziale nell'incanto circeo conduce immediatamente all'ampliamento della prospettiva pronominale con l'uso della seconda persona plurale («e c'incantò»). Nei quattro madrigali che seguono, la seconda persona si alterna alla prima, stabilendo in tal modo una dialettica interna che corrisponde al carattere indefinito della nuova proposta tematica.

Elemento unificatore delle due serie può essere considerato l'impiego di un vocabolario scelto secondo criteri particolari: fissato il timbro di partenza di ciascun madrigale, l'applicazione lessicale è mantenuta entro limiti stabiliti come sviluppo unitario, sul piano linguistico, del tema base. *La sabbia del tempo*, ad esempio, è giuocato tutto su di un rapporto binario (giorno-tempo; sabbia-spiaggia; mano-cuore; ombra-stelo; urna-clessidra; ago-quadrante), pur privilegiando tre elementi dominanti: cuore, sabbia, ombra (ripetuti tre volte ciascuno). *L'orma* è caratterizzato a sua volta da una scelta lessicale assai sintomatica (il mare e il fiume: marina, mare, foce, guado, limo, ecc.). In *All'alba* la scelta cade sul rapporto in crescendo tra terminologia zoologica, botanica e anatomica (cerbiatto, gazzera, bracco, capriuolo, riccio, biacco, migliarino; ginepro, canneto; pollice, mignolo, ugnello), con in più il ricorso finale, nell'ultima terzina e nel distico conclusivo, ad una aggettivazione coloristica che connota l'alba in sfumature di grande effetto («*Livido* si fuggì pel folto il biacco. / Si levarono due tre quattro a volo / migliarini già tinti di *gialliccio*. / Vidi un che *bianco*: e un velo era dell'alba. / Per guatar l'alba dismarrii la traccia»)[1]. E il gialliccio dei migliarini — inutile ricordarlo — trova utilizzazione, come altri effetti cromatici, in un altro verso alcionico, il 12 de *Gli indizii* («è tinto di gialliccio il migliarino»). D'altra parte le serie lessicali si susseguono e si alternano secondo contrassegni molteplici (ma in prevalenza riconducibili alla fisiologia animale e vegetale) in sede sostantivale, aggettivale e verbale per tutto il primo gruppo di madrigali: *A mezzodì*: canne, origano, menta — argiglioso, aspra, amarulenta — saliva, sangue, bocca, sete — rombo, ardenza, crepitare, fremere (il rotacismo a sottolineare l'empito sensuale); *In sul vespero*: denti, dorso, ascelle, garrese, ugne, groppo — aghi, rami, pigne, cortecce, vecce. A partire dall'*Incanto circeo* che apre il secondo gruppo, la terminologia, pur insistendo nel criterio elencativo, assume un carattere diverso, meno precisato in senso fisico-erotico e di conseguenza orientato piuttosto su di una linea geografico-topografica (*L'incanto circeo*: porto, faro, bonaccia, vele

[1] Cfr. *All'alba*, vv. 12-16, in *Alcyone, Versi d'amore e di gloria*, vol. II, Mondadori, Milano 1964, p. 742.

— Argentaro, Circeo, Tirreno; *L'uva greca*: Acaia, Corinto, Egina, Onchesto, Elicona; vigna, uva, grappolo - vaia, passolina, azzurro) o di connotazione ambientale (in *Il Vento scrive* il rapporto tra il volo del gabbiano e il volto femminile: vento, penna, ala — viso, gota, sorriso; in *Le lampade marine* i vaghi riflessi del mondo sommerso: meduse, ulve, radici — rive bianche, nascente plenilunio, amare tamerici; in *Nella belletta* il disfacimento patologico della flora palustre a segnare la «dolcigna afa di morte»: giunchi, persiche mézze, rose passe, miele guasto, fiore lutulento). Elementi di collegamento e di ripresa appaiono di frequente nel passaggio dall'uno all'altro madrigale: la sabbia del litorale tra secondo e terzo madrigale, l'orma tra il terzo e il quarto, e poi ancora le canne e l'arsura. E nella seconda serie la bonaccia, le bianche rive, il silenzio («Sugger di labbra fievole fa l'acqua» — «Le bolle d'aria salgono in silenzio») che segna il passaggio tra il litorale e la palude, il fiore lutulento e l'uva simile ai ricci di Giacinto e, ancor più indicativo, l'azione del sole che cuoce i fiori della palude e l'uva dell'Acaia.

D'altra parte, o si è in grado di produrre una tavola completa dei rapporti e delle simmetrie interne, o altrimenti è meglio fermarsi ai segni più rilevanti di questa architettura settoriale caparbiamente perseguita dal «fabbro paziente». Non andrà trascurata, inoltre, la trama delle sperimentazioni che salda il tessuto linguistico dei *Madrigali* sia al complesso delle liriche alcioniche sia alle opere che precedono il III libro delle *Laudi*. Ma anche in questo caso la vastità della documentazione è di ostacolo insormontabile alla realizzazione di una esauriente topografia. Tuttavia, se è ammissibile procedere per campioni, ci si soffermi sulla celebre immagine della sabbia che scorre nel cavo della mano nel secondo madrigale della ghirlanda. Si veda nell'*Isotteo* il *Sonetto di calen d'Aprile* («Aprile, il giovinetto uccellatore, / a cui nitido il fiore / de le chiome pe' belli òmeri cade, / ne 'l cavo de la man, come un pastore, / in su le prime aurore : ha bevuto le gelide rugiade [...]»)[2], e nel *Poema paradisiaco* due esempi indicativi («[...] E tu hai dunque raccolta / la rugiada nel cavo della mano? [...]»; «[...] L'anima sarà semplice com'era, / e a te verrà, quando vorrai, leggera / come vien l'acqua al cavo della mano»)[3]. Non vanno dimenticate almeno altre due immagini già sperimentate nel *Paradisiaco* prima di passare nella *Sabbia del tempo*: il vano stelo («[...] dove sparsi erano i fiori / pallidi. Autunno, come i tuoi che indori / sul vano stelo [...]»[4]) e il pallido quadrante («[...] E il suo sguardo segue / sul pallido quadrante / la sfera [...]»)[5].

Tornando all'immagine della sabbia, per il richiamo alcionico basterà ricordare i versi dei *Tributarii* («[...] Le valli son cave / come la man che beve [...]»)[6], di *Meriggio* («[...] sento che il lido rigato / con sì delicato / lavoro dall'onda / e dal vento è come / il mio palato, è come / il cavo della mia mano / ove il tatto s'affina [...]»)[7], dell'*Ippocampo* («[...] l'aliga nella mano / cava della Sirena»)[8]. E ancora, per tutta una serie d'immagini, il contesto alcionico funziona egregiamente non solo nei confronti della *Sabbia del tempo* (ad esempio l'immagine della clessidra proposta anche nel *Fanciullo*) ma di tutta la serie degli undici madrigali. Sta di fatto che ciascun madrigale presenta una fitta tela di riferimenti a più liriche alcioniche, proprio a partire dall'*Implorazione* che stabilisce fin dall'inizio, col suo timbro introduttivo, la catena dei collegamenti (si pensi soltanto alla *Tenzone*, al *Ditirambo III*, a *Litorea dea*).

Anche per i madrigali, come per tutto l'*Alcyone*, il

---

[2] Cfr. *Sonetto di calen d'Aprile*, vv. 1-6, in *Isotteo, Versi d'amore e di gloria*, I, Mondadori, Milano 1959, p. 397.

[3] Cfr. *Il buon messaggio*, vv. 8-9, e *Consolazione*, vv. 69-72, in *Poema paradisiaco*, ivi, pp. 618-95.

[4] Cfr. *Autunno*, vv. 14-16, ivi, p. 643.

[5] Cfr. *L'ora*, vv. 37-39, ivi, p. 656.

[6] Cfr. *I tributarii*, vv. 44-45, in *Alcyone, Versi d'amore e di gloria*, II, cit., p. 633.

[7] Cfr. *Meriggio*, vv. 75-81, ivi, pp. 642-3.

[8] Cfr. *L'Ippocampo*, vv. 77-78, ivi, p. 706.

punto di partenza è costituito dall'agenda, dal taccuino a cui inizialmente abbiamo accennato. Qui, d'altra parte, per l'abbondanza dei motivi chiamati in causa dall'insieme dei madrigali, la fonte non è unica. Entra in questione, infatti, una lunga serie di notazioni sparse in vari taccuini: dal 1895 al 1902 (un arco che si avvicina molto a quello alcionico). In particolare il taccuino VI (la marina e la pineta di San Rossore, la sabbia e il cielo), il XIII (il Circeo, la sabbia, il mare, le vele, gli acquitrini, le rane ecc.), il XVII (la notte tra cielo e mare), il XXXIV (i suoni e le cose attutiti dalla lontananza, le orme, il vento come una sinfonia), il XXXIX (il fiume e la palude), il XLII (la Maremma, l'Argentario e il Circeo), il XLIV (il letto del Motrone, i canneti e l'alpe, la spuma alata, le ombre sulla sabbia, le alghe brune). Certo il rapporto più evidente — la nota utilizzata senza alcun processo trasfigurativo — è quello che collega i taccuini del viaggio in Grecia (III, IV e V) con l'ultimo madrigale. I vigneti di Patrasso, di Corinto, dell'Elide costituiscono l'antecedente diretto e ben controllabile della evocazione alcionica. La passolina violetta simile ai ricci di Giacinto, i grappoli azzurri come la forca della rondine, sono già fissati nel vecchio «giornale» del poeta-viaggiatore:

«La campagna di Patrasso è tutta coltivata a vigne. Le vigne sono immense, folte, con l'aspetto verde *eguale* di praterie, opulentissime, con i pampini un poco illanguiditi dal grande ardore [...] Appare qualche aja su cui è distesa la passolina violacea [...] Una torma di rondini vola»[9].

Bevo in un bicchierino di mastica tutti gli incanti delle isole profumate. L'uva di Corinto, dagli acini piccoli e densi, mi ricorda i bei riccioli di Antinoo [...] Traverseremo di nuove, nel treno soffocante, la pianura dell'Elide coperta di querceti e vigneti. Vedremo di nuovo le aje piene di passolina violetta[10].

[9] Cfr. *Taccuini*, Mondadori, Milano 1965, pp. 46-7.
[10] Ivi, pp. 56-7.

Intorno a Corinto le grandi vigne, che si stendono folte e ricche sino al golfo azzurro, dove le isole si disegnano nette e luminose[11].

Dunque il paese del mito, che suggella nella lontananza l'evocazione dell'estate morente, ha avuto origine nelle pagine più suggestive del *reportage*. Resta soltanto, a conti fatti, la sorpresa di questo insistito esperimento di struttura chiusa nella libertà formale e architettonica dell'*Alcyone*. Pure, nelle raccolte precedenti, anche se rari non mancano esempi che preludono alle soluzioni della ghirlanda: nell'*Intermezzo* i dieci sonetti delle *Eleganze* (prima intitolati *Madrigali*, certo alludendo al contenuto madrigalesco dell'intera serie); nell'*Isotteo* i tre *Madrigali dei sogni* ai quali si accompagnano, nella *chimera*, i quattro madrigali di *Tristezza di una notte di primavera*; infine nel *Paradisiaco* l'esempio non trascurabile di *Un ricordo*. In tutta l'opera dannunziana, d'altronde, non difettano sperimentazioni di brevi componimenti in serie chiusa, e, nello stesso *Alcyone*, *La corona di Glauco* e i *Sogni di terre lontane* propongono, nell'ambito del sonetto, l'idea analoga di una «ghirlanda» autonoma e conchiusa.

Così un paziente lavoro di montaggio ha condotto il poeta a definire la fisionomia del III libro delle *Laudi*. La trama segreta delle simmetrie e dei richiami ha fermato in un disegno organico la continua sperimentazione linguistica e metrica, così come la geometria architettonica ha saputo risolvere in unità la libertà espressiva che aveva caratterizzato, sul nascere, ogni componimento destinato a confluire nel grande contesto della poesia alcionica.

---

[11] Ivi, p. 72. Nello stesso taccuino (V del 1895) e alla stessa pagina si trova anche una notazione indicativa per l'ottavo madrigale *Il vento scrive*: «Si vede su le acque la corsa del vento (*Scrive*)».

D'ANNUNZIO
E IL LINGUAGGIO POETICO DEL NOVECENTO

di Pier Vincenzo Mengaldo *

Allo storico letterario premerà, e giustamente, insistere sui forti elementi di rottura e discontinuità tra la nuova lirica e quei maestri [Pascoli e D'Annunzio], ma allo studioso di tradizioni linguistiche balzano all'occhio i non meno vistosi elementi di continuità, anche se proprio da un esame condotto sul linguaggio risulterà chiaro il processo di riduzione e scarnificazione che il materiale linguistico pascoliano e specialmente dannunziano subisce da parte degli utenti novecenteschi, e la natura dialettica, anche da questo punto di vista, del rapporto. Entro questi limiti, va riconosciuto che il lascito linguistico e formale di Pascoli e D'Annunzio alle generazioni poetiche successive è non solo grande, ma duraturo, non si limita cioè a segnare fortemente gli avvii dell'esperienza novecentesca, se ad esempio moduli costruttivi e lessicali pascoliani affiorano vistosamente ancora nella *Bufera*, o tracce consistenti di linguaggio dannunziano si denunciano non solo in *Verrà la morte* di Pavese ma ancora nella poesia di Pasolini o di Sanguineti.

* P.V. Mengaldo, *Aspetti e tendenze della lingua letteraria italiana del Novecento*, Feltrinelli, Milano 1975, pp. 126-31, con tagli.
Da questo saggio, denso e riccamente documentato, traggo alcune pagine relative al problema dell'eredità dannunziana nella lirica posteriore.

148

Non c'è dubbio che l'efficacia dell'influsso pascoliano e dannunziano fu rafforzata, specie all'inizio, da due fattori. L'uno è la congruenza delle soluzioni stilistiche dei due poeti con le caratteristiche generali della civiltà europea decadente e post-decadente (si pensi, per un aspetto parlante, alla convergenza della prosa lirica dannunziana con quella dei maggiori poeti francesi del secondo Ottocento). L'altro è l'esistenza di una serie rilevante di soluzioni ed elementi comuni tra il linguaggio pascoliano e quello dannunziano, effetto sia di parallelismo storico e analogie di poetica, sia di puntuali influssi reciproci (ancora in gran parte da chiarire): si può insomma parlare di una sorta di *koiné* pascoliano-dannunziana — responsabile per esempio della fortuna di moduli «impressionistici» come i deverbali a suffisso iterativo *-io* — che costituisce il piedistallo comune di tutta la lirica contemporanea italiana.

[...] In linea generale, Pascoli consegna anzitutto alla lirica successiva, quali innovazioni immediatamente recepite — e non solo dai crepuscolari —, il suo gusto della «ritmicità tritata» (Onofri), il suo, diremmo, divisionismo sintattico e puntinismo sonoro, per cui verso e strofa si frammentano «impressionisticamente» e sussultoriamente in serie di monadi sintattiche, ritmiche e timbriche che disarticolano l'organizzazione tradizionale. A D'Annunzio d'altro canto risale il primo esperimento su larga scala — *Maia*, *Alcyone* — di metrica libera, di rottura degli schemi strofici, risplasmati in sempre nuovi aggregati in cui il verso può finire per coincidere con la parola singola, dilatata nel suo potere evocativo.

E per parlare di fatti più puntuali, nell'ambito della rima: è Pascoli ad autorizzare (non tenendo conto delle divergenze d'applicazione tecnica) l'uso di rimare spesso una voce sdrucciola con una piana, come ad esempio nei *Canti di Castelvecchio*, *pètali* con *segreta*, *tramonto* con *bròntola* o *esali* con *àlito*; ma è a D'Annunzio, specialmente in *Alcyone*, che si deve l'esempio di un uso generalizzato di assonanze di vario tipo alternanti con le rime perfette, quali, in *Lungo l'Affrico*, *notte: molle*, *notturno: azzurro* e *sussurro*, *sempre: tempie*, o, nei *Madrigali dell'e-*

state, canne: Silvano, ninfa: Siringa, acqua: delicata, ecc. Attraverso, in particolare, crepuscolari e Montale, il quale le utilizza con grande larghezza e abilità, entrambe le tecniche entrano stabilmente nelle convenzioni metriche della poesia novecentesca. [...]

Ma poiché Pascoli e D'Annunzio pongono le basi di una lingua poetica largamente comune, coincidenze tecniche e soprattutto lessicali con essi non significheranno sempre, in poeti più recenti, riprese dirette, ma potranno presupporre trafile e intermediari o semplicemente il debito verso un *usus* letterario medio e indifferenziato. Così tutto un lessico umile e tecnico-quotidiano ampiamente introdotto in poesia dal Pascoli è già acclimatato, prima che nella lirica dei recenziori come Montale, nelle pagine di crepuscolari e «vociani». E non si tratta solo di un processo di consuetizzazione di sparsi materiali e ritrovati stilistici, ma di modalità complessive di utilizzazione del linguaggio pascoliano e dannunziano che la poesia del primo Novecento, tra Gozzano e Corazzini e la «Voce», offre alle esperienze successive: sicché Montale per esempio può «attraversare» e «ridurre» in un certo modo Pascoli e D'Annunzio anche in quanto Gozzano ha già compiuto analoga operazione. E di Gozzano proprio Montale ha detto che è stato il primo poeta il quale «abbia tratto scintille facendo cozzare l'aulico col prosaico», vale a dire estraniando i materiali eloquenti e aulici della tradizione in contesti di tono banale e quotidiano e mettendoli a vistoso contrasto con elementi di tutt'altro sapore, prosastici, frusti, fino allo stridore tonale e alla latente parodia. Dunque l'immagine tipicamente dannunziana delle statue delle «stagioni camuse e senza braccia» è ambientata «tra mucchi di letame e di vinaccia» e tra «i porri e l'insalata»; una parola poetica per eccellenza come *malinconia* va a rimare con recenti tecnicismi, declinati ironicamente, come *radioscopia* o *pirografia* o *fotografia*, e a versi di letterarietà cantabile come «semplicità che l'anima *consola*, / semplicità dove tu vivi *sola*» ne risponde uno come «Armadi immensi pieni di *lenzuola*».

IL SIMBOLO DELL'ARTIFEX
di Giorgio Bàrberi Squarotti *

Lo sperimentalismo dannunziano, che non ha mai tregua o appagamento apparente da *Primo vere* fino alle ultime pagine del *Libro segreto*, trova proprio nella coscienza (che si chiarisce sempre meglio, ma che è già sottesa alle prime prove dannunziane) della morte dell'Arte e della Bellezza nella volgarità economica del sistema borghese la ragione di fondo: quello sperimentalismo che conduce il D'Annunzio ad assumere le più diverse macrostrutture (lirica, poema, satira, epica, romanzo, novella, prosa di memoria, diario, ecc.) e tutte le possibili microstrutture, di tipo metrico, anzitutto, fra il verso barbaro di *Primo vere* e del *Canto novo* alla nona rima, al sonetto, al madrigale, alla canzonetta, al rondò, alla sestina, alla ballata, al ditirambo, al «verso» imparisillabo, libero e, al tempo stesso, legato da norme ritmiche precise, della *Laus vitae*, a tutte le forme metriche, insomma, che sono tentate a partire dall'*Intermezzo* fino alle *Laudi*, e che comportano l'uso di tutti i metri praticati

---

* G. Bàrberi Squarotti, *Il simbolo dell'«Artifex»* (1972), ora in *Gli inferi e il labirinto*, Cappelli, Bologna 1974, pp. 88-96, con tagli (tutte le esemplificazioni testuali).
La lettura di Bàrberi Squarotti, che spiega l'inclinazione dannunziana alla citazione e all'imitazione come una consapevole reazione nei confronti della minaccia borghese alla bellezza e all'arte, trascura però di indicare il carattere opportunistico, strumentale (e lucrativo) dell'operazione di D'Annunzio.

dalla tradizione, non senza l'aggiunta di variazioni o neo-
formazioni dannunziane (nella direzione di un verso che
possa congiungere l'estrema flessibilità con l'esatta regola
metrica: come il verso della *Laus vitae*, appunto, o come le
variazioni sul metro barbaro del *Canto novo* o il verso
lungo delle *Odi navali* e anche il distico elegiaco — molto
tormentato e innovato — delle *Elegie romane*), per giun-
gere ora a un'estremo di narratività, cioè a un vero e proprio «verso bianco», quale è quello de *Il peccato di maggio*
o de *La tredicesima fatica* o de *Il sangue delle vergini*, ora a
un estremo di musicalità e di vocalità, come nella *Cantata
di Calen d'aprile* nell'*Isotteo*, o nelle romanze e nei rondò
dell'*Intermezzo melico* della *Chimera*.

Del resto, il D'Annunzio ha piena coscienza della posizione, che si è scelta, di raccoglitore della più completa
ed esaustiva enciclopedia del detto, che coincide, per lui,
con il dicibile: «Quanto mi piace che la natura abbia privilegiato me per adunare mescolare trasmettere sublimare
in un attimo le più remote e diverse e prodighe e pere-
grine ed esquisite essenze dello spirito». Che è, poi, la
risposta alla rivelazione della volgarità del mondo borghese, retto dalla norma economica, quale il D'Annunzio
espone ne *Le vergini delle rocce*, ma che già era apparsa
nella premessa al «Convito» di De Bosis, cioè proprio a
quella rivista su cui il romanzo dannunziano sarebbe
uscito a puntate: l'invito, cioè, a «salvare qualche cosa
bella e ideale dalla torbida onda di volgarità che ricopre
ormai tutta la terra privilegiata dove Leonardo creò le sue
donne imperiose e Michelangelo i suoi eroi indomabili» (e
si noti la consonanza fra la citazione di Leonardo e il titolo del romanzo di D'Annunzio).

Il riassunto e la ricapitolazione delle forme letterarie
si compiono a ogni livello, iniziando, appunto, dalle strutture, ma occupano altresì la tematica, i luoghi, i dati, le
situazioni, le indicazioni dell'intero patrimonio delle let-
terature occidentali (non solo occidentali, però, se è vero
che troviamo anche, sempre nell'*Intermezzo melico* della
Chimera, un'*Outa occidentale*). La vecchia e ormai sorpas-
sata *querelle* intorno alle «fonti» (o «prestiti» o «imitazioni») del D'Annunzio ha un senso soltanto se, da tutta

l'acribia con cui si è esercitata fino a una cattura quantitativamente enorme d'esempi, riesce a ricavare l'unico motivo veramente significativo di una continua citazione delle più diverse tradizioni letterarie (e d'arte in genere), al fine di «salvarle» dal diluvio di volgarità e di lucro che sta per cancellarne ogni traccia e ogni aspetto, o per adulterarne i resti e le rovine (le statue mutilate della villa veneta, le ville romane soffocate dalle costruzioni degli speculatori). La costruzione del discorso per citazioni ovvero il rifacimento di testi della tradizione rappresentano due tipici modi con cui la letteratura del Novecento affronta il problema, che le è imposto dalla situazione di rifiuto dell'arte da parte della società borghese in quanto qualcosa di «diverso» dal proprio programma di rigoroso lucro economico, di salvare, entro il proprio discorso, anche i frammenti (ormai sconvolti e staccati e destituiti anche dei loro significati primitivi) della letteratura del passato e i temi e i miti, le forme e gli stessi personaggi: citando, appunto, e riproponendo i testi e le venture e gli eventi stessi già consacrati dall'uso letterario, già autorizzati e definiti lungo la tradizione. [...]

La «follia citatoria» e imitativa del D'Annunzio si colloca in questa dimensione ideologica: l'artista riassume in sé ogni voce del passato, e, anche, tutto ciò che, parzialmente nei confronti di quella enciclopedicità che è il suo vanto, è ancora aggiunto dai contemporanei a quel patrimonio d'arte (e si comprende così l'attenzione estrema che il D'Annunzio pone anche agli «scrittori nuovi», come Claudel, utilizzato in *Più che l'amore*), e che acquista un senso preciso e anche il decisivo avvaloramento soltanto nel momento in cui è inserito nel supremo discorso riassuntivo dell'artista privilegiato che è il depositario universale di ogni bellezza.

Ciò che accade inevitabilmente all'artista nella sua opera di ripetizione dell'arte del passato (e anche del presente) è l'effetto di straniamento che deriva al testo da tale operazione: cioè, quel tanto di deformato, di «falsetto», che rimane legato alla riproposta di modelli e forme, alla ricapitolazione di temi e ragioni e modi della tradizione.

È un'operazione che ha, in ultima analisi, i caratteri dell'intervento saggistico, almeno nel senso che il D'Annunzio tende a portare la trascrizione dell'Arte che egli ha davanti al grado dell'ermeneutica attraverso la variazione sui dati che gli sono offerti, e che egli saggia, ripropone, definisce e stabilisce secondo il maggior numero possibile di prospettive e di ragioni. Il museo che il D'Annunzio costruisce, assumendo la parte dell'artista che compendia in sé, enciclopedicamente, tutta la Bellezza, non offre soltanto le figure del passato e quelle contemporanee che sono giudicate più degne, ma anche le possibili variazioni su di esse, gli effetti di lettura e di appropriazione, la ripetizione sotto altre angolature o in altri stati d'animo, fino alla proliferazione del possibile e del probabile oltre il punto di partenza, l'occasione, il testo acquisito e scelto. Lo stesso si può verificare in quella sorta di calco verghiano che è *La morte del duca d'Ofena*: alla rapidità della narrazione del Verga si contrappone un'analiticità che deriva immediatamente dall'intenzione di esaurire quanto è possibile tutte le occasioni, le proposte narrative, gli scorci, le indicazioni, anche implicite, del Verga. [...]

Il falsetto che comporta la ripetizione di ciò che è già stato scritto segnala proprio lo scarto che c'è fra modello e riscrittura, cioè, in altri termini, il margine di non identificazione che il D'Annunzio si riserva, aprendolo là dove l'occasione della raccolta dei monumenti dell'arte gli consente il tipico procedimento manierista della reduplicazione, cioè il processo speculare di moltiplicazione dello stesso oggetto letterario, con una straordinaria esaltazione delle operazioni della *variatio* e della *dispositio*. Del resto, tale processo duplicativo, che è tipico dell'*artifex* in quanto, appunto, «artista» che imita e ripete e raccoglie e rielabora ogni tipo di scrittura, fino a coprirne interamente l'orizzonte (per l'impraticabilità, infinite volte documentata, di ogni altro modo di essere, nella volgarità borghese, e, al tempo stesso, dopo la scoperta del superuomo e l'interpretazione che il D'Annunzio ne dà, segnandolo del carattere profetico, tutto rivoltato verso il futuro, di ricostruttore della realtà), si ripropone costantemente anche nell'approccio con quell'altra categoria di bellezza da ricondurre e da riferire nel proprio grandioso museo, che è la Natura: quella Natura a cui attenta il lucro borghese non meno che alla vita dell'Arte. [...]

Il problema del D'Annunzio diventa, allora, quello di risolvere ogni linguaggio delle arti (così come ogni linguaggio letterario già sperimentato e il linguaggio degli oggetti) in parola, secondo l'idea di una parola che, appunto catalogando l'Arte e la Bellezza, le custodisce nell'unico museo che sia possibile edificare e arredare, quello dell'artista onnivoro per necessità di garantire, sul punto della morte decretata dalla volgarità borghese, la sopravvivenza dei segni (in questo modo raccolti sì, ma anche congelati) dell'Arte.

IL TEATRO DI D'ANNUNZIO

di Anna Barsotti *

Nell'Europa fra i due secoli (Szòndi ne riporta la data al 1860, puntando sugli esempi di un Cechov e di un Ibsen) incominciava a delinearsi la tendenza al passaggio da quella forma codificata di dramma in cui erano «precipitati» contenuti ideali d'assolutezza e d'autonomia, ad una forma che, in modi non chiari e distinti al principio, s'apriva verso soluzioni nuove; tendenza che si sarebbe accentuata in relazione ai mutamenti storici e culturali, di visione generale del mondo, che il Novecento avrebbe prodotto con sempre maggiore evidenza nell'individuo e nella società. D'Annunzio in questa storia è (come abbiamo accennato e come scrive Jacobbi) «nel suo meglio, un alto antecedente; nel suo peggio, una triste conclusione, il melanconico ed inaccettabile finale d'altre storie» (*L'irrazionale e la follia*).

La sua ambizione tragica traeva ispirazione da una tradizione autoctona, quella mediterranea (nell'antitesi storico-culturale fra latinità e germanesimo si esprime, da *Il fuoco* in poi, il suo dissenso col teatro wagneriano); una tradizione in cui hanno avuto sempre parte importante da un lato l'onirismo, il magismo e la follia, e dall'altro l'o-

* A. Barsotti, *Il «Teatro di poesia»*, in «Rivista italiana di Drammaturgia», 1978, n. 9-10, pp. 20-37, con tagli.
È una lettura, condotta senza troppa simpatia, ma lucida ed equa, del teatro dannunziano collocato nel quadro del suo tempo.

locausto, il sacrificio umano. E in tal senso il dramma dannunziano ne tenta, a suo modo, il recupero, ricollegandosi perciò al tracciato ritualistico e cerimoniale del teatro del Sud. Ma alle sue tragedie manca l'elemento cardine del dramma classico, ovvero la «collisione». Essa si finge, ma non consiste: viene meno, nella composizione della *nuova tragedia* di D'Annunzio, quel momento fondamentale in cui, per Hegel, entrano in conflitto «potenze universali, che formano il contenuto e il fine essenziale per cui si agisce». E non si tratterebbe d'un limite, d'un difetto suo e del suo teatro, se lo squilibrio fra aspirazione e realizzazione, in lui, non lo facesse risaltare come tale. [...]

Nel teatro, D'Annunzio voleva sfogare il suo bisogno, ottocentesco ancora (e in questo senso soggettivo), di essere «vate», di «fare non solo tutt'uno fra vita ed arte, ma addirittura fra la vita propria e quella del mondo sentito oggettivo, antitetico». Ciò lo induce a introdurre elementi *pratici* nella sua arte. E, sotto questo aspetto, tutta la sua opera teatrale (in quel porsi come artisticamente esemplare, in quel continuo incitamento al culto dell'azione-per-l'azione, insistendo sui temi del «vivere inimitabile» al di là del Bene e del Male) è opera didattica.

Ma i contenuti del suo insegnamento o vaticinio, ch'egli riteneva «patriottico», infranti i valori ottocenteschi, diventano puramente estetici: la sua etica sarà il suo estetismo.

Nell'ideazione e produzione drammatica egli cerca anche l'occasione propizia per esprimere il suo gusto per lo spettacolo grandioso in sé (e di sé); molta della sua stessa poesia è caratterizzata da un'eccitazione spettacolare, declamatoria, quasi egli presentisse la lettura ad alta voce che si sarebbe fatta dei suoi versi.

Nei suoi drammi specialmente ispirati al credo superomistico — da *La città morta*, *La Gioconda*, *La gloria*, sino a *Più che l'amore*, *La nave...* —, l'eroe, sotto l'urto del fato, inventa la sua virtù; il puro atto d'inventarla lo giustifica e lo fa *bello*. Questi protagonisti dannunziani non sono che replicati esempi di eroismo egoistico, ed egotistico, tutto costituito da azioni immotivate. Né l'occasione è proporzionata al delitto o al sacrificio altrui, né l'eroe è tale che delitto o sacrificio possano essergli, dalla coscienza collettiva e pubblica, consentiti. Sono tragedie costruite su un ostinato bisogno di miti e di divinità da adorare (il superuomo, l'Eros idoleggiato come la maggior forza della natura e mezzo di purificazione), in mancanza di valori concreti, quotidiani, universali. [...]

A questo velleitario messaggio (teatro come rivelazione della Bellezza e dell'Eroismo, poetica guida della nazione) fa riscontro un metodo; una forma assai vicina alla tecnica politica. D'Annunzio era l'aristocratico «che faceva appello a quel pizzico di straordinario, di ispirato, di unico, che appartiene all'uomo superiore e a quei pochi individui o popoli iniziati a partecipare al mistero dell'Uomo».

Mediante quella vagheggiata «forma» antirealistica e simbolistica, che prevedeva una rinnovata utilizzazione scenica delle tre arti canoniche del teatro greco (parola, musica, danza), e la collocazione del dramma in «mondi ideali» slegati sostanzialmente dall'ambiente e quindi collocabili in una precisa epoca storica solo *a posteriori*, in virtù di certi riusciti effetti decorativi, le tragedie «patriottiche» dannunziane e i loro eroi finirono per stimolare negli spettatori un meccanismo di immedesimazione paragonabile — banalizzando al massimo — a quello odiernamente prodotto, in ambito più «volgare», dalle biografie romanzate degli attori sui rotocalchi.

Proprio considerando il momento storico in cui s'innesta il teatro di D'Annunzio, si vede come tecnica drammatica e tecnica politica (o politico-pedagogica) s'incontrino in una mescolanza extra-artistica ed ambigua di arte e di vita. Perché egli è presente nella vicenda storica del primo Novecento italiano, non solo come letterato, ma come uomo pubblico, serbando una sua effettuale *risonanza* nel panorama dei concreti interessi nazionali ed internazionali. [...]

A livello tematico (o dei motivi) si vede subito, se si sgombra il campo critico dall'esame delle intenzioni, come la base ideologica — con la sua ambiziosa singolarità eroica — si riveli insufficiente a portare a segno il dramma; l'eroismo dei protagonisti dannunziani rimane sempre sconfitto, ma non dai *fati*, bensì dalla natura umana e morale del personaggio stesso.

Il mancato rapporto di collisione fra il superuomo e gli altri, che in D'Annunzio trae origine anche dal personale atteggiamento d'aristocratico distacco nei confronti della più viva realtà sociale del paese, si riverbera non solo sulla consistenza drammatica delle sue tragedie, ma pure sull'esito esterno dell'intreccio. L'attivismo e l'agonismo di partenza, l'illusione di modificare il mondo o di dominarlo, reclinano immancabilmente nella decadenza, nella catastrofe luttuosa dell'Io. [...]

Il superuomo dannunziano, che agisce sotto la spinta di virtù *inventate*, soggettivistiche (e letterarie), anziché col fato, si trova a combattere con le proprie debolezze, i vizi inconfessati e mistificati, la propria incapacità ad instaurare un rapporto normale con gli altri.

E in questa lotta apparente (io-mondo esterno) che non tarda a svelare quella reale (io mitizzato-io nudo), l'eroe perde anche, come figura della scena, la tridimensionalità drammatica. Diventa un primo esemplare, ma inconsapevole, di io epico novecentesco, proiezione dell'io dell'autore. Infatti come *dramatis persona* (nel senso tradizionale), l'eroe di D'Annunzio appare chiuso nel cerchio d'una contraddizione che nessun pubblico potrebbe superare. Se fosse il bruto primigenio — come talvolta l'autore ci suggerisce —, tolto di mezzo con violenza l'ostacolo, si spingerebbe senza esitazioni verso il conseguimento del fine propostosi; se fosse l'eroe autentico — come ci è fatto balenare a tratti —, sarebbe il portatore di un ideale aderente «all'atto come il bagliore a ciò che riluce» (ideale assoluto), e non si indugierebbe nell'analisi morbosa della propria psiche, come fa; ignorerebbe le contorsioni novecentesche dell'indagine introspettiva.

Già nel teatro di D'Annunzio, e tutto sommato in contrasto col suo stesso programma, l'unità del tipo è infranta, né si può rinsaldare.

E non solo la struttura della tragedia, ma anche quella del dramma borghese risulta all'analisi irrimediabilmente compromessa. L'antefatto, nei drammi dannunziani, diventa sovente il solo fatto dell'opera (citiamo ancora *Più che l'amore*). Gli episodi scenici sono, essenzialmente, episodi narrativi o descrittivi, imperniati sulla variazione formale di un *leit motiv* dominante, e a quest'effetto epicizzante contribuiscono le speciali didascalie (fu osservato, dai contemporanei, che il teatro di D'Annunzio dava come un senso di «magnifica immobilità»). Talvolta le figure poste accanto o contro all'eroe si trascolorano in mezzi di pura climatizzazione espressiva, servono a creargli attorno l'atmosfera in cui esso possa rifulgere, oppure si scoprono come altri riflessi della coscienza di lui. [...]

In certi esiti formali, quindi, il «teatro di poesia» dannunziano avverte e persino annuncia il processo di trasformazione del dramma tradizionale:

1. personaggi non più autonomi, ma proiezioni dell'Io dell'autore;

2. dialoghi quasi sempre e solo «apparenti»;

3. rilievo non tanto dei fatti, quanto piuttosto del clima, dell'atmosfera;

4. indifferenza sostanziale per la verosimiglianza estrinseca dell'azione, per la sua assolutezza, e perciò episodicità, indulgenza alla precisazione, alla sottigliezza, agli indugi dispersivi e relativizzanti;

5. didascalie più «epiche» che «drammatiche»;

6. sperimentazione complessa e articolata nell'uso dello spazio scenico e dei mezzi espressivi non convenzionali.

Mancano però a questo teatro i contenuti nuovi, o meglio dei valori nuovi (tramontati quelli ottocenteschi) per fondare un Nuovo Teatro.

D'ANNUNZIO E LA MERCIFICAZIONE DELLA BELLEZZA
di Romano Luperini *

Poiché lo scambio tra arte e vita è la nota caratteriz-
zante della personalità di D'Annunzio, è possibile cominciare un discorso sulla sua arte prendendo a pretesto iniziale il Vittoriale, la villa dal poeta arredata e abitata fra
il 1921 e la morte (1938), oggi museo dello Stato visitato
ogni giorno da centinaia di turisti e di curiosi. In uno
strano *assemblage*, dove trionfa il gusto involontario del
kitsch, sono radunati le immagini e i simboli della civiltà
umana e dei suoi valori, da quelli religiosi a quelli guer-
reschi (in particolare cimeli delle gesta di D'Annunzio durante la guerra mondiale e l'impresa di Fiume), tutti riuniti sotto il supremo segno unificante dell'arte (che
assume l'aspetto di un estetismo autocelebrativo). Appare
evidente che la villa era stata da D'Annunzio concepita
come un monumento a se stesso e all'arte e insomma come
un museo destinato a salvaguardare e consacrare valori
altrimenti sottoposti alla deturpazione e addirittura alla
definitiva cancellazione dalla vita degli uomini. Il privato
(la villa, nel nostro caso), museificato e, per così dire,

* R. Luperini, *Paragrafo su D'Annunzio*, «Il Ponte», gennaio 1978,
pp. 101-3.
L'A. colloca nei giusti limiti la consapevolezza di D'Annunzio della
condizione mercificata dell'arte nella società borghese, in implicita polemica con quelle recenti interpretazioni che tendono a sopravvalutarne
la lucidità critica.

estetizzato, è sin dall'inizio vissuto come pubblico. L'interiorità sparisce, diventa spettacolo, offerta di sé: si esibisce; ma, tendendo a suscitare ad ogni costo attenzione e curiosità persino morbosa, pone anche le condizioni per la propria pubblica fruizione, per il proprio consumo di massa. L'abbondanza stessa degli oggetti e dei particolari, la sensazione di spreco, di superficialità e di lusso che essi comunicano, suggeriscono l'idea del denaro come tramite del rapporto col pubblico e strumento di una affermazione individuale che pure vorrebbe essere segnata dal crisma di una aristocratica e spirituale raffinatezza. Eppure nel Vittoriale c'è una esigenza di difesa: il museo-mausoleo è anche un rifugio, ove la Bellezza e la civiltà umanistica cercano scampo da una società volgare, dominata dalla legge dell'utile e dell'economico. Sembra quasi che la Bellezza possa essere salvaguardata solo diventando istituzione, monumento, retorica. È D'Annunzio stesso, d'altronde, a trasformare la villa in monumento e museo cedendola prima di morire allo Stato italiano. Ma questa tendenza alla istituzionalizzazione dell'arte e quindi all'autoistituzionalizzazione vale anche per la produzione letteraria, sia perché — lui vivo — i 49 volumi dell'*Opera Omnia* furono pubblicati (1927-1938) a cura dell'Istituto nazionale per l'edizione di tutte le opere di Gabriele D'Annunzio appositamente creato dallo Stato fascista, sia perché è implicita nella stessa operazione formale, la presuppone e la percorre.

Il Vittoriale ci porta dunque nel cuore della vicenda dannunziana, è una spia di una contraddizione di fondo che agisce a tutti i livelli della personalità del poeta: da un lato l'arte e la Bellezza, così come sono da lui concepite, si contrappongono alla società e al mercato, dall'altro li sottintendono di continuo e li sollecitano. L'artista detesta il pubblico, disprezza la massa; ma anche li solletica e li lusinga. Per un verso sogna una società elitaria e aristocratica e restaura la figura del poeta come genio solitario e coscienza raffinata e superiore; per un altro, è attentissimo alle mode e alle esigenze del mercato librario e della nascente industria culturale e abilmente e incessantemente propaganda se stesso e la propria opera, costruendo — anche grazie a quella restaurazione — il proprio successo e organizzando ad ogni livello il consenso alla propria opera e il suo consumo di massa.

È una contraddizione che può essere risolta solo in una maniera: facendo coincidere l'arte e la vita, il privato e il pubblico, la Bellezza e la merce: facendo della propria esistenza e della propria opera esibizione, spettacolo (conformemente a un innato gusto teatrale destinato ad effondersi in un'ampia produzione drammatica), infine mercato. L'interiorità sparisce, il soggetto viene cancellato: l'affermazione dell'arte coincide senza residui con la sua museificazione e mercificazione, con la sua trasformazione immediata in oggetto di consumo da un lato, in istituzione pubblica e in retorica dall'altro. Come la «vita inimitabile» è in realtà concepita come modello — non solo da fruirsi ma proprio anche da imitarsi — offerto alle frustrazioni e alle fantasie delle masse piccolo-borghesi, alle loro esigenze di evasione e di affermazione (il dannunzianesimo diventa infatti una moda, come ogni fenomeno di massa); così l'arte, immaginata come esperienza pura ed eccezionale dello spirito, è in effetti destinata al successo pratico ed economico del superuomo e trova il suo posto adeguato sul mercato. L'arte per l'arte diventa stile di vita e così trasforma la Bellezza in decorazione, la riduce a strumento pratico della esistenza dell'esteta[1]. Se la società capitalistica moderna è stata costretta ad opporre l'«anima», l'io interiore, i valori esistenziali al mondo esteriore della produzione e se a partire da questa contraddizione già affiorante nella cultura romantica, si sviluppa tutta l'arte maggiore dell'ultimo secolo, ebbene questa è anche la problematica esplicita di D'Annunzio (di qui la sua «modernità»), ma, anziché viverla come contraddizione, egli cerca di risolverla con l'identificazione dei termini in opposizione. D'Annunzio arriva altresì ad

---

[1] Cfr. E. Raimondi, *D'Annunzio e l'idea della letteratura*, in AA.VV., *L'arte di Gabriele D'Annunzio* (Atti del Convegno Internazionale di Studio Venezia-Gardone Riviera-Pescara 7-13 ottobre 1963), Mondadori, Milano 1968, pp. 83-94.

intuire — ed è intuizione non da poco, in Italia, in quegli anni — il nesso che unisce arte e corruzione e a teorizzare la necessità di passare attraverso la seconda proprio per raggiungere più decisiva Bellezza e maggiore Forza; ciò che non lo sfiora nemmeno è l'idea che la corruzione penetri dentro la qualità dell'opera, ne determini la forma e la fruizione. Mentre le avanguardie europee, partendo da tale problematica, pongono la questione della emarginazione dell'artista e della «morte dell'arte», corrotta e inquinata dal mercato, D'Annunzio non ha mai dubbi sulla *vita* dell'arte (da svilupparsi contro la volgarità della società mercantile eppure anche attraverso di essa) e sulla possibilità sociale di proteggerla e continuarla: la difesa dell'arte (che pure egli avverte minacciata) travalica subito nella sua indiscussa affermazione come valore supremo della società, come istituzione: per tutelarla, l'esteta può trasformarsi in deputato (basti pensare ai discorsi della sua campagna elettorale del 1897) e sognare poi di diventare un «despota», un moderno dittatore. L'arte inoltre è intesa come Bellezza, non senza classicistici e carducciani residui: coerentemente egli può proclamarsi il più grande degli umanisti e il loro continuatore nella società moderna («Io sono il supremo degli umanisti», scrive in un passo delle *Cento e cento e cento e cento pagine del Libro segreto*). Questa concezione ancora classicistica dell'arte serve così di fatto ad eludere la questione pure da lui — per la prima volta in Italia — intuita: l'arte, identificata con la Bellezza, può essere ridotta ad esteriorità, a decorazione, a oggetto o prodotto estetico. La contraddizione fra «anima» e «mondo della produzione» viene praticamente risolta con la *produzione della Bellezza* e con l'abolizione sostanziale dell'«anima», della vita interiore. D'Annunzio non ha nulla in comune con i simbolisti proprio per questa cancellazione del soggetto, per la mancanza di reale interiorità della sua poesia: al posto del simbolo essa offre lo sperpero delle analogie, il luccicore suntuoso e interscambiabile delle immagini.

LE MASSE NELL'ARTE DELL'ESTETA

di Giuseppe Petronio *

Il decennio degli anni Ottanta era stato per D'Annunzio singolarmente importante. D'Annunzio aveva definito il suo programma di vita puntando sul ruolo di «poeta», un ruolo concepito ancora secondo la tradizione secolare (il poeta essere privilegiato, dotato di facoltà eccezionali, e perciò superiore all'uomo comune, degno lui solo di meritare e di dare la fama), ma rinverdito su esperienze recenti, di byronismo romantico e di aristocraticismo decadente. Aveva capito già i meccanismi della società del suo tempo, e scoperto l'importanza del giornalismo e la preminenza, tra i generi letterari, del romanzo; aveva scoperto cioè l'importanza del pubblico e la necessità di adeguarsi ad esso: sprezzandolo nel proprio intimo, ma intanto servendolo. Aveva soddisfatto il suo istinto snobistico (proprio nel senso letterale: di «nato non nobile») di strusciarsi alla nobiltà a condividere i fasti e i riti, anche se con quel tanto di esagerazione proprio di chi ostenta un comportamento di vita non inculcatogli

* G. Petronio, *Appunti per una biografia sociale*, in AA.VV., *Ipotesi per una biografia di D'Annunzio*, in «QV», novembre-dicembre 1979, pp. 25-33, con tagli.

In queste sue pagine, attente al rapporto fra lo scrittore e il pubblico, Petronio riassume la parabola di D'Annunzio da poeta di salotto a vate civile: una modificazione dei contenuti che non intacca, quanto piuttosto esaspera, il preziosismo formale della sua arte.

dalla nascita. Si era conquistato a gomitate un suo posto nel mondo delle lettere e nella risonanza pubblica: con gli scritti, con gli articoli, con gli scandali, con la pubblicità accorta. E aveva operato in modo da diventare qualcuno per più strati sociali: il gran mondo, ancora tutto aristocratico, la grossa borghesia della politica e della cultura, i lettori di buona letteratura, gli appassionati di cronache mondane.

Ma nel decennio seguente il quadro sociale cambia: più passa il tempo e più mi convinco che quel decennio fra il Novanta e il Novecento (anno più anno meno poco importa) è stato fondamentale nella nostra storia italiana, non solo in quella letteraria, e ha posto le basi per tante e tante cose venute dopo. È il decennio — è necessario elencare? — della costituzione del Partito socialista italiano, dei Fasci siciliani, di Adua, della Banca romana, del Novantotto. Ed è anche il decennio di tanti altri fatti, connessi a quelli e ancora più significativi per questo mio discorso: il decennio dell'allargarsi, in Italia, della base sociale; dell'emergere, alla ribalta non solo politica ma anche sociale e culturale, di quei ceti medi, di quell'amalgama di strati diversi che sarebbero stati protagonisti di tanti eventi successivi; dell'emergere, ancora, di ciò che allora dicevano «la plebe»: i lavoratori, il proletariato, le aristocrazie operaie del Nord, certi gruppi braccantili. [...]

Di questo cambiamento gli scrittori italiani — borghesi tutti per nascita, tranne qualche «proletario»: la Negri, il Bettini — presero atto: non per nulla il decennio fu quello della grande svolta antidemocratica, antipositivistica, antiveristica, irrazionalistica, spiritualistica e via dicendo. E non per nulla maturarono in quegli anni gli scrittori che poi, col secolo nuovo, avrebbero tentato il gran colpo di mettersi essi alla testa della riscossa borghese, di incitare essi i borghesi alla riscossa contro la «massa».

D'Annunzio ne prese atto anche lui. Figuriamoci se non doveva farlo con quel fiuto da segugio, che si ritrovava, per ciò che gli si muoveva intorno. E, come nel decennio precedente, punta ancora su più tavoli, simile a quei campioni prestigiosi di scacchi che giocano contemporaneamente più partite saltellando dall'una all'altra scacchiera.

Nel '95 pubblica *Le vergini delle rocce*, il primo solenne manifesto della reazione antidemocratica, una presa decisa di posizione contro quella «costruzione ignobile ma anche precaria» che è «lo Stato eretto su le basi del suffragio popolare e dell'uguaglianza». Il libro è tutto ambiguo. Dibatte un problema attuale, che sarebbe stato vivissimo negli anni prossimi: la difesa contro la democrazia, le masse, la scomparsa del «Bello», ecc. ecc. Ma il rimedio al presente e le prospettive per il futuro D'Annunzio le cerca nel passato, nel patriziato ormai alle corde, e il suo protagonista e portavoce, Claudio Cantelmo, a rimettere in sesto l'Italia pensa al «Re di Roma», che doveva nascere da lui, aristocratico tra wildiano e nicciano, e da una duchessina (ancora da scegliersi!) dei Capece Montaga. Mette conto rileggere la recensione — feroce — che ne fece Pirandello, il quale stroncò irrimediabilmente la favola del libro, condividendone però le tesi di fondo. Il concetto del libro, come Pirandello lo diceva, gli pareva risultare, nella realtà del romanzo, «straordinariamente ridicolo, pur non essendo tale». Ma Cantelmo egli se lo sentiva vicino, «nel disgusto delle presenti condizioni sociali», e il prologo famoso gli pareva avere «alcune pagine eloquentissime, piene d'altero e generoso disdegno».

D'Annunzio dunque, già con questo libro, compie un'operazione polivalente. Dà sfogo al suo snobismo, sociale e letterario, di temi e di stile; continua a lusingare quell'aristocrazia che gli era cara nella vita e che nella finzione letteraria aveva ancora un posto di rilievo; ma intanto manda i primi segnali a quella «classe dei dotti», a quei poeti e artisti, tutti borghesi, ai quali annunzia, anticipando il «Leonardo» e il «Marzocco», il loro diritto a guidare il Paese; e mira inoltre ad attirare alle sue tesi quel tanto di pubblico alto e medio borghese che ora lo legge, pur con tutti i suoi affatturamenti di stile: forse proprio per quelli.

Ma intanto D'Annunzio fa pure altro, e manda altri

messaggi e compie altri gesti per altri gruppi, sociali o no. Si candida per deputato e pronunzia il discorso famoso «della siepe». [...]

E con la candidatura e il discorso D'Annunzio non si fa solo interprete delle esigenze e dei timori di tanta Italia borghese, ma scende anche, in un certo senso, dal suo Olimpo e prende atto della realtà politica, e, sempre in un certo senso, indica la strada alla nuova generazione: quella che nei decenni seguenti avrebbe intrecciato strettamente letteratura e politica.

E fa anche di più. Tre anni dopo compie il gesto clamoroso di andare, come disse, «verso la vita»: di passare dai seggi parlamentari di destra a quelli dell'estrema sinistra. Un gesto teatrale, istrionico come tanti altri suoi, al solo scopo di colpire la platea. [...]

Ma forse per capire la molteplicità e la varietà dell'operazione compiuta da D'Annunzio in quegli anni niente giova quanto una rilettura di *Maia*, il primo libro delle *Laudi* (1903). Qualcuno obietterà che si tratta di un libro di versi non di un fatto di vita, e che quindi non dovrebbe aiutare molto a una biografia di D'Annunzio. Ma se è valida l'ipotesi di lavoro che regge tutto questo mio discorso, cioè che in ogni scrittore, soprattutto in D'Annunzio, fatti di vita e fatti letterari sono complementari, allora come il suo comportamento nella vita aiuta a leggere meglio i suoi libri, così i suoi libri aiutano a decifrare i suoi comportamenti.

Maia è stato letto essenzialmente alla luce del complesso delle *Laudi*, di *Alcyone* soprattutto, e quindi interpretato con le categorie del lirismo, del panismo, ecc. ecc. Ma *Maia* è anche altro: è, si potrebbe dire, una continuazione e uno sviluppo delle *Vergini delle Rocce* delle quali riprende il programma e gli spiriti. In un certo senso, tanti versi di *Maia* sono «i fiori del male» di D'Annunzio, il suo sforzo di uscire dal passato e dal mito per «dipingere» (tolgo il termine a Baudelaire: un *pittore* della vita moderna!) il mondo moderno: con il suo orrore ma anche il suo fascino, con il suo volto ambiguo e meduseo, sicché il canto delle «città terribili» è costruito tutto su un'antitesi: «Gloria delle città / terribili», «Orrore delle città /

terribili». Però, un mondo di città terribili, di macchine e di plebei, ma filtrato tutto attraverso un classicismo stilistico che dovrebbe nobilitarlo e permettergli di salire alle dignità della poesia: in sostanza un mondo moderno lavorato alla maniera di Carducci, sicché è giusto, anche per questa ragione, che il libro si chiuda con il saluto al Maestro. [...]

Ma sostanzialmente l'ideologia è quella, aristocratica e decadente, delle *Vergini delle Rocce*, e dopo avervi descritto un tumulto di folla, D'Annunzio invoca un nuovo mondo di bellezza e grandezza, e a salvare da quel presente triste evoca «un eroe»: più o meno il figlio di Claudio Cantelmo. E se esalta Carducci e lo dice Maestro è perché sarebbe stato lui a promettere col suo canto «quel gran giorno», e sarebbe stato lui, nella miseria dell'Italia democratica, a serbare «nell'ampio / *suo* petto il fuoco di Roma / per la terza vita d'Italia»: che è gettare un ponte tra il nazionalismo arcaicheggiante di Carducci e quello teso al futuro dei nazionalisti e, più tardi, quello squadristicamente operoso dei fascisti.

Questa visione politica è ancora confusa e letteraria come nel romanzo. Disprezzo e orrore della democrazia, paura delle masse, aspirazione a un cambiamento radicale, che ora si configura, alla Pascoli, nei modi di discorso «della siepe», quasi idoleggiamento di una società georgica («E io dissi: "L'uomo è l'uguale / dell'uomo dinanzi alla spica / mietuta in silenzio o con canti. / E questa è la sola eguaglianza, / questo il gran diritto terrestre / che inscritto sta nella zolla"», p. 306)[1], ora si configura invece in termini nazionalistici, tra Carducci e Mussolini: «quando restituita / su l'acque sarà la più grande / cosa che mai videro gli occhi / del Sole: la Pace Romana» (p. 310). Che è, verrebbe voglia di dire, il *Carmen saeculare* di Orazio già adattato per l'*Inno a Roma* di Pietro Mascagni!

Però in questa vaghezza di programma politico si insinua già — e rivela la duttilità di D'Annunzio nel ren-

---

[1] G. D'Annunzio, *Laudi*, Mondadori, Milano 1942.

dersi conto di quanto succede — la coscienza o l'avvertimento di un'altra forza, che si teme e si odia, si disprezza e si aborre, ma con la quale si capisce che bisogna ormai fare i conti. D'Annunzio parla di quella che allora chiamavano «plebe» (sottoproletariato o proletariato straccione più che proletariato operaio) in termini che certe volte anticipano certo Pasolini: «Sentii l'odore d'un abisso / invisibile e onnipresente, / il pestifero fiato / d'un gran mare torpente / ma pieno di occulta / ferocia, di vita vorace» (p. 236, e cfr. pp. 292-3, 298). E il tumulto popolare e il «gran demagogo», cioè l'organizzatore socialista, sono visti come li vedevano in quegli anni tanti dei letterati travolti in una paura isterica del socialismo e in un appello frenetico alla riscossa borghese: dall'ultimo Verga a Butti, al Pirandello dei *Vecchi e giovani*.

Ma c'è intanto la presa di coscienza dell'esistenza di una massa, la consapevolezza che con essa bisognerà vedersela, che il futuro si plasma non solo richiamando a nuovi splendori le aristocrazie fatiscenti, ma incanalando e guidando quelle folle di uomini, «fetidi» sì ma «robusti», con «su i vòlti selvaggi / impresse le impronte tenaci / della materia bruta», ma capaci pure di fare della loro pena «una sola rabbia» (p. 300). Motivi che si sarebbero rafforzati con gli anni e avrebbero suonato a piena orchestra nell'ultimo libro delle *Laudi*: quello dei canti per la guerra libica. [...]

Si ha così un paradosso. Dalle *Vergini delle Rocce* in poi D'Annunzio si è reso conto sempre più dell'esistenza massiccia e ineliminabile di un altro mondo: quello della tecnica, delle macchine, della borghesia, della plebe. Dalle *Vergini delle Rocce* a *Maia*, da *Maia* a *Merope*, dai romanzi al teatro e a questa sua nuova lirica, la sua opera ha perso sempre più il suo carattere di una volta, di isolamento aristocratico, per assumere quello di messaggio oratorio, di discorso inteso a sommuovere. I suoi romanzi sono diventati, è stato detto, «romanzi ideologici»; il suo teatro è stato sì un teatro di «poesia» ma anche e soprattutto di «idee»: patriottico, nazionalistico, ideologico; la sua lirica è passata dal simbolismo e alessandrinismo delle prime raccolte all'oratoria patriottarda delle *Odi navali* e di *Merope*, al vasto poema sinfonico di *Maia*, un vero e proprio proclama. Però a questo modificarsi dei contenuti e degli intenti non si accompagna un modificarsi sintonizzato delle forme, e a rinnovare la nostra letteratura facendola «borghese», omologa al mondo moderno, sono gli altri: quelli che egli disprezza e che sempre più, di anno in anno, si allontanano da lui, lo rifiutano, si dicono felici di non essere nati «gabrieldannunziani», gli rifanno il verso. [...]

Ma questo stesso paradosso, o contraddizione, si ritrova nella sua vita: quella privata, biografica. Quanto più il mondo intorno a lui imborghesisce, tanto più D'Annunzio tende a distinguersene, impreziosendo l'ambiente intorno a sé, facendo tragici, da *tragedìa*, i suoi amori, evitando nel suo comportamento ogni quotidianità, insomma tracciando un limite netto tra sé e il volgo. Proprio come Corrado Brando, e arrivando come lui fino al disprezzo della morale comune. [...]

SONO NATO A BORDO DEL BRIGANTINO IRENE

di Anna Maria Andreoli *

Nel novembre 1892, Georges Hérelle è il destinatario
di un cumulo di falsificazioni, alquanto efficaci sotto
un'apparenza quasi risibile, intavolate allo scopo d'impressionare l'estensore della nota biografica che accompagnerà l'*Innocente*, ovvero l'*Intrus*, come suona la titolatura d'oltralpe. Si tratta davvero di provocazione
indiretta, bisognosa perciò di tinte cariche, di netti contrasti, subito percepibile così la straordinaria vicenda di
un *enfant* — è ovvio — *prodige*. Le mosse sono per l'appunto prese dalla nascita fatalmente mediterranea del «figlio del mare», al quale poi toccherà di superare gli innumerevoli ostacoli che si frappongono al destino d'artista a
cui è chiamato, inteso che la *fabula* non manca di inscenare sia la funzione dell'*antagonista* sia quella dell'*aiutante*. E i piaceri allora avranno sfibrato le energie della
giovane promessa, la seduzione del successo l'avrà distolta dal rigore severo dello studio — si dice senza tema
delle fosche luci che atteggiano il chiaroscuro romanzesco
— così come soccorrevoli maestri avranno avuto trepida
cura dei primi germogli d'arte, coltivando l'uno le attitu-

* A.M. Andreoli, *Gabriele D'Annunzio*, La Nuova Italia, Firenze
1984, pp. 45-52, con tagli.
In queste pagine la Andreoli traduce dal francese e commenta un
autoritratto inedito di D'Annunzio che consente di coglierlo impegnato
a costruire il mito di se stesso.

dini musicali, l'altro quelle pittoriche (entrambi, si capisce, frutto d'invenzione), finché non interverrà, determinante, il proficuo magistero del Dolore.

Innanzitutto la nascita favolosa e gli anni di collegio:

Io sono nato nel 1864 a bordo del brigantino Irene, nelle acque dell'Adriatico [in realtà il D'Annunzio nacque a Pescara il 12 marzo 1863]. Questa natività marina ha influito sul mio spirito. Il mare è infatti la mia passione più profonda: — m'attira veramente *come una patria*.

A Pescara, nelle mie terre, passavo per un *enfant-prodige*, così strana era la mia precocità. A nove anni partii dagli Abruzzi per la Toscana. E rimasi in un gran collegio toscano, a Prato, sette anni. Prato è una città industre e un poco triste, illuminata dal cielo meno che da un pulpito marmoreo scolpito in bassorilievo divinamente dal divino Donatello. Questo pulpito è all'aperto, a un angolo esterno del Duomo; e rappresenta una danza di putti. È un'opera famosa dello scultore fiorentino. L'imagine che più profondamente m'è rimasta impressa nella memoria, di tutto quel periodo della mia vita, è appunto l'imagine di quel pulpito meraviglioso. Fin da quel tempo il mio senso estetico era vivissimo. E l'acuità di un tal senso, sempre crescente, doveva poi portare nella mia vita eccessi e disordini irreparabili: quelli eccessi e quei disordini medesimi che io ho descritti e analizzati nel mio primo romanzo *Il Piacere*. In Andrea Sperelli è molta parte di me, viva.

Ma non si brucino le tappe. L'itinerario dagli Abruzzi alla Toscana, tecnicamente definibile come *allontanamento*, vale a ritardare la cronistoria dell'apprendista scrittore, intensificandone l'attesa con una digressione ben calcolata sul versatile *prodige* alle prese con una precoce esperienza d'arte, pittura e musica. E ben calcolata, poiché, oltre a un poco di *suspence*, si otterrà anche un altro effetto: il garzone di bottega — quasi un Leonardo giovane — ora sovrapposto all'angusta figura del collegiale, potrà certo motivare il sovraccarico di riferimenti all'arte figurativa e musicale del poeta e narratore avvenire; né in proposito si penserà a un autodidatta improvvisato se esistono precisi cimenti. E saranno lontane mattinate, naturalmente primaverili, trascorse ad affrescar chiese e a provarsi in *andantini* sotto la guida di professori d'accademia e preti musici.

Nella mia puerizia io già mostravo attitudini non comuni alla pittura e alla musica. Due correnti spirituali, nella mia vita interiore, furono determinate dai primi insegnamenti di quelle due arti: il gusto appassionato per i Primitivi, per gli incomparabili artisti precursori del Rinascimento; e la predilezione per i maestri del secolo XVIII e per i loro predecessori, per tutta quanta la musica sacra del seicento e del settecento.

Ebbi per maestro di pittura un vecchio accademico; il quale mi faceva disegnare le teste argute e irregolari di Fra Filippo Lippi. Come egli copiava su una immensa tela, a encausto, un affresco di quel maestro, da una parete della Pieve in più parti guasta, io l'accompagnavo ed assistevo al suo diligente lavoro. E ricordo con sempre viva dolcezza quelle mattine di primavera, in quella chiesa muta e solenne, d'innanzi alle pitture pallide di Fra Filippo. Là, forse, la mia anima incominciò a sentire la nostalgia di una vita anteriore, di un'altra età; quando il vecchio maestro mi raccontava la vita avventurosa del frate che nel mio stesso paese natale, nell'Adriatico, fu preso dai corsari barbareschi e mandato prigione in Barberìa, e che in Prato amò e rapì la bella figliuola di Francesco Buti, Suora Lucrezia...

Ebbi per maestro di musica un religioso cultore della semplicità antica. I primi turbamenti dell'adolescenza sono legati, nella mia memoria, a un Andantino dell'abate Michelangelo Rossi. Quell'aria soave e un poco malinconica aveva affascinato il mio spirito; e io la suonavo di continuo, senza mai saziarmene, su tutti i vecchi pianoforti del collegio, così che la comunità intera fu presa nel cerchio dell'incantesimo.

Già prefigurato il *Secondo amante di Lucrezia Buti* e un poco ciò che saranno le *Faville* della memoria (come parve un tempo a Hérelle, che annotò in clausola alla lettera: «Notice biografique écrite par G. D'Annunzio sur lui-même. Très important. Cfr. certaines pages avec ce qui est dit dans le *Faville del maglio*, t. I»), non senza che la nostalgia di una vita baudelairianamente *anteriore* preluda — lo vedremo in seguito — all'idea fissa del «nuovo Rinascimento» di cui il D'Annunzio si dirà profeta e primo motore. Intanto, dopo l'indugio digressivo, è la volta dell'«inclinazione vera»:

Ma la mia inclinazione vera doveva essere per la letteratura perché d'improvviso, dopo la lettura delle *Odi Barbare* di Giosue Carducci, fui invaso da una specie di furore poetico e com-

posi in due o tre mesi un libro di versi. Il libro, intitolato lati-
namente *Primo vere*, fu pubblicato per la compiacenza di mio
padre. Conteneva, oltre alcune odi audacissime, certe traduzioni metriche da Orazio e da Omero straordinarie per esattezza
e per elegante facilità. Queste traduzioni appunto colpirono un
critico che in quel tempo aveva il dominio della repubblica letteraria. Il critico scrisse un lungo articolo intitolato *Un nuovo
poeta*. Io avevo appena quindici anni. D'un tratto balzai su le
cime della fama. Tutta l'Italia fu piena del mio nome. Nella
«Revue suisse» Marc Monnier si occupò di me benignamente,
ma scandalizzandosi un poco delle mie arditezze. E terminò il
suo articolo dicendo che, se egli fosse stato uno dei miei maestri,
mi avrebbe dato *une médaille et le fouet*.

Nel collegio, naturalmente, nacque una specie di rivoluzione. Si adunò un consiglio per infliggermi un biasimo; ma fui
ritenuto come un prodigio e mostrato come *una rarità* ai visita-
tori.

Un altro fatto doveva concorrere ad aumentare il rumore
intorno al mio nome. Stando in vacanza nella mia villa degli
Abruzzi, un giorno caddi da cavallo; e, non so se per malignità
o per errore, si sparse la voce della mia morte. Quasi tutti i giornali portarono articoli necrologici sul giovanissimo poeta che la
morte aveva colpito nel primo fiore delle speranze. La brutta
notizia fu smentita; ma restò la glorificazione funebre.

Viene quindi menzionato di sfuggita il proposito uni-
versitario: in effetti, iscrittosi alla facoltà di lettere, il
D'Annunzio frequentò solo qualche lezione del Monaci,
anche se non gli mancherà in futuro l'occasione di attribuire al filologo i suoi interessi romanzi, come accade a
proposito della trilogia della *rosa* e come ribadirà un
giorno con la pratica della *lauda*. Ora, l'obiettivo si sposta
subito sul cenacolo bizantino del Sommaruga, l'editore
«molto abile e coraggioso» delle sue prime prose (*Terra
vergine*) e delle poesie di *Canto novo*.

Uscito di collegio, andai all'Università di Roma. Allora un
gruppo di giovani, protetto da un editore molto abile e coraggioso, faceva le sue prime armi in un giornale letterario intitolato «Cronaca Bizantina». Appena giunto io fui accerchiato e
tratto nel cenacolo e adorato. La «Cronaca Bizantina» diventò
un giornale battagliero e irresistibile. Io pubblicai subito due
nuovi libri: — *Terra vergine* e *Canto novo*. — *Terra vergine* era un

volume di novelle selvagge, scritte in uno stile riboccante di colore. *Canto novo* era un volume di versi in cui si cantava il Mare con un entusiasmo e con una furia inauditi. Era veramente un *canto nuovo*. Il successo fu rapido e larghissimo. Il mio nome correva su tutte le bocche. Tutti mi ricevevano, mi davano incenso, mi proclamavano dio. Le signore, specialmente, si commossero.

L'ascesa rapida e lineare del giovane di successo registra qui la battuta d'arresto di cui il racconto, come avvertivo, si giova. Fino a questo momento il D'Annunzio ha calcato la mano, esagerando volutamente sui propri trionfi, tacendo le riserve espresse da più parti sul suo debutto (si sono visti il ripensamento del Chiarini e l'ostilità carducciana). Meglio invece gestire in proprio il dissenso e autodenigrarsi con qualche insinuazione compiaciuta: è la volta — si sarà capito — dell'autolettura dell'*Intermezzo di rime*. Anche a distanza di tempo esso rappresenta una caduta pericolosa, ma rivolgendosi ora a Hérelle sarà il caso di paragonare la lascivia del libro a quella dell'Aretino e del Marino. I frutti di una stagione traviata potranno un poco nobilitarsi attraverso l'illustre rinvio a ritroso, così come non si dovrà tacere del volume *Alla ricerca della verecondia*: la polemica è segno indiscusso di protagonismo.

E allora corsi il pericolo estremo. La lode mi ubriacò. Io mi gettai nella vita perdutamente, avido di piacere, con tutto l'ardore della mia giovinezza. Tutte le porte mi furono aperte; passavo di trionfo in trionfo, senza mai volgermi indietro. E commisi errori su errori, rasentai mille precipizi. Una specie di demenza afrodisiaca mi teneva. Pubblicai un piccolo libro di versi intitolato *Intermezzo di rime*, dove erano cantate in grandi versi plastici, con una prosodia impeccabile, tutte le voluttà della carne, con una impudicizia che non aveva riscontro se non nei poeti lascivi dei secoli XVI e XVII, nell'Aretino e nel cavalier Marino. Una feroce battaglia scoppiò intorno al piccolo libro. I critici più forti scesero in campo; e la grande e vana logomachia è consacrata in un volume intitolato *Alla ricerca della verecondia*.
Questa vita torbida e lasciva mi spossò. Io mi sarei irrimediabilmente perduto se un incidente fortunato non m'avesse co-

stretto a tornare nella mia terra, su la riva salubre del mio Mare. Lasciai dietro di me tutti gli amori, tutte le vanità; pregai la Terra di riprendermi nelle sue braccia e di rinnovarmi, e fui esaudito.

Più che il D'Annunzio è Andrea Sperelli, adesso, a reggere il filo del racconto. L'incidente accennato sembra appunto alludere all'eroe del *Piacere*, quando un provvido duello risolve le secche di una trama — tutta scorci descrittivi, cicaleccio mondano e analisi quintessenziali di sensazioni — poverissima di movimento: traslocato il malconcio sfidante, in fin di vita, sulla riva del mare, la convalescenza-rinascita, che si giova anche di meditazioni buddhistiche, procura al romanzo quasi un nuovo personaggio.

Nella realtà, invece, fu il matrimonio a ricondurre il D'Annunzio in Abruzzo. Dopo una fuga per niente avventurosa, a Firenze, in treno, seguiti dai cronisti mondani avvertiti a bella posta, Gabriele e Maria di Gallese, già in attesa di un figlio, si sposarono, ma non furono accolti nel romano palazzo d'Altemps. Il padre della fuggitiva disapprovò allora e sempre la decisione della figlia e sembra poi che il torbido poeta dell'*Intermezzo* contasse anche la suocera fra le ammiratrici, né il D'Annunzio fece mai mistero di quanto fosse per lui eroticamente sollecitante la sequenza madre-figlia.

Taciute del tutto le perizie domestiche, D'Annunzio-Sperelli si diffonde piuttosto sugli esiti alessandrini del suo profondo — e non è che il primo — rinnovamento.

Tra il 1884 e il 1886 pubblicai due volumi di novelle: — *Le vergini* e *San Pantaleone*; e un volume di versi: — *Isaotta Guttadauro*.

Il mio stile in prosa accennava a cambiare; in poesia era totalmente cambiato. Alla furia selvaggia del *Canto novo*, alle grasse pitture dell'*Intermezzo* era succeduta una maniera più calma, più fine, più nobile. Attraversavo anch'io il mio periodo alessandrino. Facevo l'orefice e il cesellatore, non ad altro intendendo che a raggiungere l'assoluta perfezione della forma. In una famosa ode diretta al grande pittore Francesco Paolo Michetti, ebbi la vanità di scrivere il verso:

«Tu *signor* del pennello, io della rima!»

La mia ambizione fu soddisfatta. Anche i miei più fieri nemici riconobbero la superiorità della mia lingua, del mio stile e della mia metrica.

Il traguardo alessandrino non appaga, però, l'incontentabile artista teso alla perfezione e giunto, dopo tanto sperimentalismo provvisorio, all'impresa del *Piacere*. Se è questo il suo «primo grande sforzo», come dirà fra breve, ciò non significa che il risultato si spinga oltre lo sfogo un poco confuso; mentre poi la formula del romanzo non è neppure originale, ispirata — non tarda a confessare il D'Annunzio prevenendo la competenza di un lettore che orienta sulla pista più ovvia — da *A rebours* di Huysmans. Nondimeno, il successo è *straordinario*, anche perché (e il fatto merita di essere ricordato) il giovane narratore suggerì a Treves una precisa strategia pubblicitaria, consigliando fra l'altro di diversificare la presentazione dell'opera a seconda che si trattasse di proporla al nord o al sud del paese.

A ben vedere, la sagace iniziativa, rappresenta il coronamento di quella sottile maieutica rivolta al pubblico in cui si risolve, in sostanza, il giornalismo dannunziano; attività, si noti, alla quale qui neppure si accenna. Poiché nulla deve svilire l'immagine di un arioso apprendistato, è preferibile tacere l'impiego minore del talento e «la miserabile fatica quotidiana». Tanto più che è ora la volta di trarre frutto, nell'economia dell'autoritratto ideale, dai vecchi maestri del collegio di Prato e dal discepolo preraffaellita di Filippo Lippi, intento anche in poesia (dopo *Piacere* e *Invincibile* si passano in rassegna *Isotteo* e *Chimera*) al ricupero della «vita anteriore», vestiti i panni di un «quattrocentista mezzo pagano e mezzo cristiano».

Ma queste sottigliezze di forma rendevano sterile la mia intelligenza, restringevano il cerchio del mio spirito. Dopo un soggiorno di tre anni a Roma, tornai di nuovo alla campagna. E là feci il mio primo grande sforzo. Scrissi il mio primo romanzo *Il Piacere*, dove misi, come per liberarmene, tutte le mie predilezioni di forma e di colore, tutte le mie sottilità, tutte le mie preziosità, confusamente. *Il Piacere* è un libro molto curioso, tutto impregnato di arte; che ha forse qualche parentela con l'*A rebours* di J.K. Huysmans.

Il Piacere ebbe anche un successo straordinario e occupò per molti mesi la stampa letteraria in Italia.

Dopo *Il Piacere* scrissi *L'Invincibile*, un romanzo in cui è analizzato un caso di mania suicida ereditaria in un uomo dominato dalle fatalità dell'amore.

Nell'uno e nell'altro romanzo, ma soprattutto nel primo, sono manifeste le influenze dell'educazione toscana; si espandono i germi gettati nel mio spirito dai due vecchi maestri del collegio di Prato. Tutte le mie ricerche d'arte tendono a fondere perfettamente nella mia prosa e nella mia poesia gli elementi pittorici e musicali da me prediletti.

L'eroe del *Piacere*, Andrea Sperelli, un gran signore artista, si riallaccia, nelle sue opere preziose, ai poeti dello *stil novo* e ai pittori che precorrono il Rinascimento. L'intendimento suo, nelle acqueforti, era questo: — rischiarare con gli effetti di luce del Rembrandt le eleganze di disegno dei quattrocentisti fiorentini appartenenti alla seconda generazione come Sandro Botticelli, Domenico Ghirlandaio e Filippo Lippi.

Nel libro di versi intitolato *Isotteo* io volli rinnovare le forme metriche tradizionali dell'antica poesia italiana e riprodurre in una vasta imagine la vita italiana del secolo XV, cantando le ballate alla maniera di Lorenzo il Magnifico.

Nel libro di versi intitolato *La Chimera* sono numerose le odi che fanno pensare agli *affreschi* delle cappelle fiorentine e dei palazzi lombardi. Infatti, io guardavo la vita con gli occhi di un quattrocentista mezzo pagano e mezzo cristiano: con gli occhi d'un discepolo di Fra Filippo.

Attraverso qualche colpo di scena, di cimento in cimento, siamo giunti alla conclusione della lunga nota: «quante pagine ho scritto, senza quasi accorgermene!» — si legge in clausola. Non ci si dovrà tuttavia attendere, com'è naturale da un D'Annunzio non ancora trentenne, l'epilogo appagato della meta raggiunta. L'avventura appena agli inizi è davvero aperta a tutte le possibilità: «il mio prossimo libro sarà più semplice, più chiaro, più forte, più coraggioso, più *vivo*». Il quadro si chiude col piglio troppo sicuro di chi ha bisogno — sospettiamolo pure — di autoconvincersi e insieme di prevenire, temerario, le obiezioni che potrebbero derivargli da un bilancio non proprio in attivo. Le imprese d'arte finora tentate (ma in qualche caso, è evidente, si trattò di sfogo, in qualche altro di malattia...) hanno sì fruttato al D'Annunzio il successo di cui è ben consapevole anche perché ne è spesso l'abile regista; invece, considerata da un angolo più intimo, quella del desiderio, l'opera compiuta è tanto lontana da quanto egli presume da sembrargli estranea e remotissima. Persino l'*Innocente*, il nuovo romanzo appena licenziato e di cui la nota autobiografica — si ricordi — è immediato corollario, retrocede di colpo «in un tempo immemorabile».

Pochi mesi separano l'*Innocente* dall'autolettura che andiamo esaminando, ma le distanze da esso risultano ingigantite da un ultimo e brusco cambiamento di rotta:

Il Dolore, finalmente, mi diede la nuova luce. Dal Dolore mi vennero tutte le rivelazioni. Com'era giusto, io incominciai a scontare i miei errori e i miei disordini e i miei eccessi nella vita; incominciai a soffrire con la stessa intensità con cui avevo goduto. Il Dolore fece di me un uomo nuovo: — *rursus homo est!* — I libri di Leone Tolstoi e di Teodoro Dostojewskj concorsero a sviluppare in me il nuovo sentimento. E, poiché la mia arte era già matura, io potei manifestare d'un tratto il mio nuovo concetto della vita in un libro intero e organico.

Questo libro è *L'Innocente*. *L'Innocente* è scritto da un uomo che ha molto sofferto e che ha guardato dentro di sé con occhi lucidi e attentissimi. E pure *L'Innocente* già pare a quest'uomo un libro scritto in un tempo immemorabile!

Io ho già fatto altre conquiste, mio caro amico, sempre accompagnato da quel grande esploratore, da quell'immortale Stanley che è il Dolore. E il mio prossimo libro sarà più semplice, più chiaro, più forte, più coraggioso, più *vivo* («Ottajano, Napoli, 14 novembre 1892» — il testo riportato è inedito; nella versione francese si legge in *D'Annunzio à Georges Hérelle*, correspondence présentée par G. Tosi, Paris 1946, pp. 123-32).

INDICE

183

UL

ultimi volumi pubblicati

UL

ultimi volumi pubblicati